JN125558

みんなの
言語学入門

日本語と英語の仕組みから未知の言語へ

牧 秀樹 ［著］

開拓社

まえがき

　みんな！ ちょっと質問です。これ、意味わかる？

　　　타케시가　키요시를　보았다.

韓国語を学んだ人なら、すぐにわかるでしょうが、そうでなければ、なかなか難しいですね。じゃあ、こうしたら、どうでしょう？

　　　타케시가　키요시를　　　보았다.
　　　タケシガ　キヨシルル　ボアッダ

なんだか人の名前っぽいものが出てきました。まだ少し難しいですね。じゃあ、こうしたら？

　　　타케시가　키요시를　　　보았다.
　　　タケシガ　キヨシルル　ボアッダ
　　　たけしが　きよしを　　　見た

あらまあ、日本語とまったく同じ意味ですね。「たけしが、きよしを見た」あげくに、語順までまったく同じで。ただ、文字や発音は違いますが。
　じゃあ、もう一つ。みんな！ これ、意味わかる？

　　Takeshi　a vu　　Kiyoshi.
　　タケシ　　アヴュ　キヨシ

フランス語を学んだ人なら、すぐにわかるでしょうが、そうでなければ、ちょっと難しいでしょうか。じゃあ、こうしたら、どうでしょう？

Takeshi　a vu　　Kiyoshi.

タケシ　アヴュ　キヨシ

Takeshi　saw　　Kiyoshi

　あらまあ、英語と、そして、日本語と、まったく同じ意味ですね。「たけしが、きよしを見た」あげくに、語順まで英語とまったく同じで。ただ、文字や発音は違いますが。

　あれぇ？　なんだか、ちょっと不思議な感じ。日本語と韓国語は、語順が全く同じ。英語とフランス語も、語順が全く同じ。そして、なんといっても、この４つのことばで書いたそれぞれの文。全部、意味が同じだ。つまり、互いに翻訳できるってこと。あれぇ？　ことばって、全部翻訳できるのかな？　だったら、その背後に、何かしら仕組みがあるんじゃないのかな。ねえ、みんなで、考えてみない？　きっとみんなのためになる。こんなことから、始まりました。『みんなの言語学入門』

　現在、ネットなどでは「ゆる言語学ラジオ」が大人気。ことばの魅力やミステリーに心を奪われている方ばかりです。「言語学」、さわりだけでも知っておきたい。そんな方のために、本書は、日本語と英語の例、しかも、とりわけ簡単な例を使いながら、「何かしらの仕組み」を探っていきます。

　本書を通して、いったい何が学べるんでしょうか？　二つあります。一つ目。世界の言語は、かなりの程度類似しており、したがって、日本語と英語の構造も、実は、驚くほど似ていること。ことばって、一見線上に左から右に配置されているように見えますが、よくよく調べてみると、なんだか、垂直方向に「立ち上がっている」ようなのです。日本語も英語も同じように。二つ目。日本語と英語の構造を理解していれば、未知の言語に出会っても、慌てず、解析できること。そして、結果的に、日本語・英語・未知の言語の基本構造を、木構造で描けるようになります。未知の言語として、上で見た韓国語やフランス語の他に、中国語、モンゴル語、ビ

ジ語、スウェーデン語にも触れてみたいと思います。

　本書は、いったい誰に向いているんでしょうか？ まずは、英語日本語がともに、「立ち上がっている」と聞いて、ちょっと何言ってるか分からないという方に。一歩間違うと、自分が立ち上がってしまうかもしれません。言語学者として。そして、現在、言語学の「人生の最初の一歩」の教科書を探している方に。学生でも先生でも。一歩間違うと、授業や勉強会で使ってしまうかもしれません。一回を短く、15 回に分割してありますから、なんとか最後までたどり着けるといいですね。

　本書は、前著『誰でも言語学』・『これでも言語学』・『それでも言語学』・『象の鼻から言語学』の姉妹作です。気楽に楽しんでいただき、ご友人やご家族に、物知り顔で話していただければ、さいわいです。「ねえねえ、こんなの知ってる？」

　この本を書くにあたって、以下の皆様からいろいろ助けていただきました。心より、感謝します。

　まずは、執筆にあたって示唆をくださった方々・言語データを提供してくださった方々。Richard Albert 氏、包麗娜氏、Gilles Guerrin 氏、Yong-Hun Jeon 氏、Jeong-Seok Kim 氏、川田賢氏、金銀姫氏、Michael LoPresit 氏、马雯氏、Masakazu Nanse 氏、Sara Nanse 氏、Tim Palmroos 氏、邱曉石氏、ゼステルパ氏、王少鴿氏、姚夏蔭氏、張超氏。

　本書に出てくるイラストはすべて、「かわいいフリー素材集いらすとや」(https://www.irasutoya.com/) からです。運営者のみふねたかし氏に感謝します。一つの制作物につき 20 点（重複はまとめて 1 点）まで商用利用を許可してくださっていることに。

　最後に、私の授業に参加してくれた学生のみんな、そして、私の研究室に所属している学生のみんな。

地図：この本に出てくる言語の場所[*]

英語、韓国語、スウェーデン語、中国語、日本語、ビジ語、フランス語、モンゴル語

*各言語が話されている場所は、煩雑さを避けるため、完全には網羅されていません。

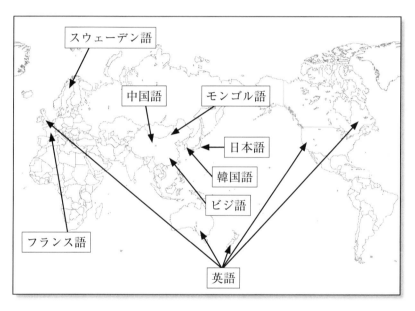

無料白地図：ちびむすドリル小学生 (http://happylilac.net/sy-sekaitizu-s3.html)

省略記号

A/AP	形容詞/形容詞句（adjective/adjective phrase）
Acc	対格（accusative case）
ADV/ADVP	副詞/副詞句（adverb/adverb phrase）
Antip	逆受動（anti-passive）
C/CP	補文化標識/補文化標識句（complementizer/complementizer phrase）
Com	共格（commitative case）
Comp	補文化標識（complementizer）
D/DP	決定詞/決定詞句（determiner/determiner phrase）
Dat	与格（dative case）
Gen	属格（genitive case）
I/IP	屈折辞/屈折辞句（inflection/inflection phrase）
Infl	屈折辞（inflection）
Loc	位格（locative case）
N/NP	名詞/名詞句（noun/noun phrase）
Nom	主格（nominative case）
O	目的語（object）
P/PP	前置詞/前置詞句（preposition/prepositon phrase）
P/PP	後置詞/後置詞句（postposition/postpositon phrase）
Perf	完了（perfect）
Nmlz	名詞化要素（nominalizer）
Pfx	接頭辞（prefix）
Prog	進行（progressive）
Pst	過去（past）
Q	疑問詞（question particle）

S	主語 (subject)
S	文 (sentence)
S′	文′ (S-bar)
T/Tense	時制
Top	話題標識 (topic marker)
V/VP	動詞/動詞句 (verb/verb phrase)

目　次

x

第1回　はじめに

文の種類・文の部品・動詞のおさらい

「英語日本語立ち上がる」この状況を理解するために、まず、人間の言語の文の種類・文の部品・動詞についておさらいしておきたいと思います。大雑把に言うと、3・3・3の法則です。つまり、文の種類・文の部品・動詞は、すべて3種類だけということです。そしてそれは、世界中の人間が話す言語でそうです。ではまず、文の種類から。文の種類は、3種類しかありません。そして、すべての言語が、この3種類の文を持っています。その3種類を以下に示します。

(1) a.　単文
    b.　埋め込み文
    c.　付け足し文

具体的には、それぞれの種類の文は、(2a–c) に示されます。

(2) a.　イチローが翔平をほめた。
    b.　たけしは、[イチローが翔平をほめたと] 思った。
    c.　[イチローが翔平をほめたので]、たけしは喜んだ。

まず、単文とは、(2a) に示されるように、動詞、あるいは、述語が、一つだけの文です。次に、埋め込み文とは、(2b) における [...] の部分で、

[...] の部分が、別の動詞に必ず必要とされ、あたかも、その動詞を含む単文に埋め込まれているようなので、埋め込み文と言います。そして、「たけしは思った」の部分を、埋め込み文と区別するために、主文と言います。最後に、付け足し文は、あってもなくてもいい文です。(2c) では、「ので」を含む [...] で示した部分が、付け足し文で、理由を示す付け足し文になっています。そして、「たけしは喜んだ」の部分を、付け足し文と区別するために、主文と言います。この部分がなく、「イチローが翔平をほめたので」とだけ言われたら、必ず、「それで、どうしたの？」と聞かれます。ですから、「たけしは喜んだ」の部分は、絶対に必要な部分で、主文となっています。

　続いて、単文の部品について見てみましょう。単文を作る要素は、文の種類と同じように、3 種類しかありません。(3) を見てください。

(3) a. 述語
　　 b. 必要語
　　 c. 付け足し語

一つは、述語、もう一つは、必要語、そして最後の一つは、付け足し語です。(4) を例に考えてみましょう。

(4) 　たけしが　昨日　浅草で　くつを　買った。

(4) において、述語は、動詞「買った」です。では、何が必要語でしょうか？それは、簡単なテストで分かります。そのテストの名前は、「んだってテスト」です。その文から述語以外をすべて取り除き、その述語に「んだって」を付けて聞いた時に、何かが足りないなと思ったら、それが必要語です。例えば、(4) から述語以外をすべて取り除いて、「んだって」を付けると、(5) のようになります。

(5) 　[買った] んだって。

では、友人が「買ったんだって」と言うのを聞いたら、どうでしょう。「えっ、誰が？」とは、聞き返さないと思います。あるいは、「えっ、何を？」とも、聞き返さないと思います。何かが足りない気がするからです。この場合は、おそらく、「えっ、誰が、何を？」と聞き返すはずです。この、「誰が」と「何を」に相当する語が、まさに、必要語です。一方、何を置いてでも、友人が「買ったんだって」と言うのを聞いて、「いつ？」とか「どこで？」と聞き返す人はいないはずです。となると、「昨日」と「浅草で」は、動詞「買った」の必要語ではなく、付け足し語、つまり、あってもなくてもいい語であるというわけです。以後、「んだってテスト」は、大変重要になるので、心の片隅にずっと置いておいてください。

　最後に、動詞の種類について。文の種類・文の部品と同じように、これも大雑把に言えば3種類だけです。(6) を見てください。

(6) a.　必要語が一つ
　　 b.　必要語が二つ
　　 c.　必要語が三つ

これだけです。主語・目的語という用語を使えば、(6) は、(7) のようになります。

(7) a.　主語
　　 b.　主語と目的語
　　 c.　主語と目的語が二つ

具体例を見てみましょう。

(8) a.　翔平が踊った。
　　 b.　イチローが翔平をほめた。
　　 c.　翔平が一平にホットドッグをあげた。

(8a) の「踊る」は、んだってテストで、「踊ったんだって」と言われれば、

4

「誰が？」と聞き返すだけで、その他の要素は必要ではありません。つまり、「踊る」は、主語だけを必要とする動詞だということです。では、(8b)の「ほめる」は？「ほめたんだって」と言われれば、「誰が？」と聞き返すだけでは足りません。「誰が、誰を？」と、一度に二つ聞かないと、あとで、困ります。つまり、「ほめる」は、主語と目的語を必要とする動詞だということです。最後に、(8c) の「あげる」はどうでしょう。「あげたんだって」と言われれば、「誰が」、「誰に」、「何を」の一つを使って聞き返すだけでは足りません。「誰が、誰に、何を」と、一度に三つ聞かないと、事態が把握できません。つまり、「あげる」は、主語、間接目的語、直接目的語を必要とする動詞だということです。

　ということで、人間には、3・3・3の法則が備わっているのです。文の種類・文の部品・動詞、3・3・3です。

第２回　日本語と英語の類似点

アジの開きの関係です

　続いて、日本語と英語の類似点を見ていきます。本回は、Fukui（1986, 1988）、Fukui and Speas（1986）、そして、牧（2019）『誰でも言語学』の15章に基づいています。

　日本語と英語は、一見すれば、まったく異なる言語で、類似点などあろうはずもないと思うかもしれません。ところが、よくよく見てみると、とても不思議な関係があることが分かってきました。以下のことは、語順に関しての話です。語順に注目すると、驚くようなことが分かってきます。

　まず初めに、一番簡単な単文を見てみましょう。

　（1）　翔平は　イチローを　見た。

この文は、主語「翔平は」、目的語「イチローを」、そして、動詞「見た」からできています。では、これを英語で言うと、どうなるでしょうか？（2）のようになります。

　（2）　Shohei　saw　Ichiro.
　　　　翔平は　見た　イチローを
　　　　'翔平はイチローを見た。'

この文は、主語 *Shohei*、動詞 *saw*、そして、目的語 *Ichiro* からできてい

ます。この段階で、日本語と英語の共通点が、一つあります。それは、主語が、文の先頭に来ることです。では、日本語と英語は、どこが違うでしょうか？主語を除いた部分を見てみましょう。

(3)　イチローを　見た

(4)　saw　Ichiro
　　　見た　イチローを
　　　'イチローを見た'

ああ、なるほど。目的語と動詞の順番が反対です。日本語では、目的語が動詞よりも先に来て、英語では、動詞が目的語より先に来ます。こんな具合に、日本語と英語で、違っている所を探していけば、何かが分かってくるかもしれません。以下では、主語の位置は同じであるので、主語については注目せず、それ以外の所に注目して見ていきます。違いがはっきり分かるように、以下では、(5) のように、範囲を示したり下線を引いたりして、並べて見ていきます。

(5)　a.　翔平は　[イチローを　見た]。
　　　b.　Shohei　[saw　　　　Ichiro].
　　　　　翔平は　[見た　　　　イチローを]
　　　　　'翔平はイチローを見た。'

では、次に、方向を示す表現を含んだ文を見てみましょう。

(6)　a.　翔平は　[LA に]　行った。
　　　b.　Shohei　　　　went　[to　LA].
　　　　　翔平は　　　　　行った　に　LA
　　　　　'翔平は LA に行った。'

日本語では、場所「LA」が先に来て、その次に、方向を示す「に」が来て

います。英語では、方向を示す *to*「に」が先に来て、その次に、場所 *LA*「LA」が来ています。主語「翔平」は、やはり、日本語も英語も、文の先頭に来ています。また、動詞「行った」も、日本語では、文の最後に、英語では、主語の次に来ています。

　続いて、埋め込み文を見てみましょう。

(7)　a.　イチローは　[翔平が　LA に　行った<u>と</u>]　思っている。

　　　b.　Ichiro　　thinks　　[<u>that</u> Shohei went　to LA].
　　　　　イチロー　思っている [と　　翔平　　行った に　LA]
　　　　　'イチローは、翔平が LA に行ったと思っている。'

日本語では、埋め込み文「翔平が LA に行ったと」が先に来て、その次に、動詞「思っている」が来ています。英語では、動詞 *thinks*「思っている」が先に来て、その次に、埋め込み文 *that Ichiro went to LA*「翔平が LA に行ったと」が来ています。さらに、埋め込み文内部では、「翔平が LA に行った」が先に来て、その次に、埋め込み文の目印の「と」が来ています。英語では、埋め込み文の目印の *that*「と」が先に来て、その次に、*Ichiro went to LA*「翔平が LA に行った」が来ています。なんだか、少しずつ、日本語と英語の違いが見えてきたような気がします。

　次は、疑問文の埋め込み文を見てみましょう。

(8)　a.　イチローは　[翔平が　LA に　行った<u>かどうか</u>]　知っている。

　　　b.　Ichiro　　knows　　[<u>whether</u> Shohei went　to　LA].
　　　　　イチロー　知っている [かどうか 翔平　　行った　に　LA]
　　　　　'イチローは、翔平が LA に行ったかどうか知っている。'

日本語では、疑問文の埋め込み文「翔平が LA に行ったかどうか」が先に来て、その次に、動詞「知っている」が来ています。英語では、動詞 *knows*「知っている」が先に来て、その次に、埋め込み文 *whether Shohei went to LA*「翔平が LA に行ったかどうか」が来ています。さらに、疑問

8

文の埋め込み文内部では、「翔平がLAに行った」が先に来て、その次に、疑問文の埋め込み文の目印の「かどうか」が来ています。英語では、疑問文の埋め込み文の目印の *whether*「かどうか」が先に来て、その次に、*Shohei went to LA*「翔平がLAに行った」が来ています。さらに、少しずつ、日本語と英語の違いが見えてきたような気がします。

次は、動詞が二つある文を見てみましょう。

(9) a. 翔平は　朝ご飯を　[食べ　始めた]。

   b. Shohei　　　　　　　[started　to eat]　breakfast.
     翔平　　　　　　　　[始めた　食べ]　朝ご飯
     '翔平は朝ご飯を食べ始めた。'

日本語では、「食べ」が先に来て、その次に、「始めた」が来ています。英語では、*started*「始めた」が先に来て、その次に、*to eat*「食べ」が来ています。さらに、日本語では、「朝ご飯を」が先に来て、その次に、「食べ始めた」が来ています。英語では、*started to eat*「食べ始めた」が先に来て、その次に、*breakfast*「朝ご飯」が来ています。なんだか、段々と、パターンが見え始めてきました。

次は、付け足し文を見てみましょう。

(10) a. [翔平が　エンジェルスに　入った時]、
     イチローは　シアトルに　いた。

   b. [When Shohei joined　the Angels]、
     時　　　翔平　　入った　エンジェルス
     Ichiro　　was　in　Seattle.
     イチロー　いた　に　シアトル
     '翔平がエンジェルスに入った時、イチローはシアトルにいた。'

日本語では、時間を表す付け足し文の中で、「時」が最後に来ています。

英語では、時間を表す付け足し文の中で、*when*「時」が最初に来ています。

さらに、別の種類の付け足し文である関係節に関しても、同じことが起きています。

(11)　a.　[翔平が読んだ] <u>本</u>は、この本です。

　　　b.　　　　　　　The book [Shohei read]　　is　　this

　　　　　　　　　　　本　　　　[翔平　　読んだ] です　この

　　　　　　　　　　　book.

　　　　　　　　　　　本

　　　'翔平が読んだ本は、この本です。'

日本語においては、「本」を修飾する付け足し文である関係節の「翔平が読んだ」は、「本」の前に来ています。英語においては、*the book*「本」を修飾する付け足し文である関係節の *Shohei read*「翔平が読んだ」は、*the book*「本」の後に来ています。

　これまで見てきた日本語と英語の例の大切な部分だけを、次ページの (12) の表にまとめてみます。主語の位置は、ともに、文頭であるので、それは、ここでは、示しません。

　(12) を見ると、日本語の表現と英語の表現は、何か、鏡に映したような関係にあるように見えます。そうです。(12) で [...] に入っていない部分は、どちらの言語においても、共通部分で、まるで、その部分を軸にして、日本語は、その軸の左側に [...] を、英語は、その軸の右側に [...] を置いているように見えます。それをよりはっきりと示したのが、(13) です。

(12) 日本語と英語の例のまとめ

日本語	英語
[イチローを] 見た	saw [Ichiro]
[LA] に	to [LA]
[...] と	that [...]
[...] かどうか	whether [...]
[...と] 思っている	think [that...]
[...かどうか] 知っている	know [whether...]
[食べ] 始めた	started [to eat]
[朝ごはんを] 食べ始めた	started to eat [breakfast]
[...] 時	when [...]
[...] 本	the book [...]

(13) 日本語と英語の関係：軸をはさんで左右

日本語		英語
左側要素	軸	右側要素
[イチローを]	見た/saw	[Ichiro]
[LA]	に/to	[LA]
[...]	と/that	[...]
[...]	かどうか/wheether	[...]
[...と]	思っている/think	[that...]
[...かどうか]	知っている/know	know [that...]
[食べ]	始めた/started	[to eat]
[朝ごはんを]	食べ始めた/started to eat	[breakfast]
[...]	時/when	[...]
[...]	本/the book	[...]

　そうです。日本語と英語の語順の関係は、小学校 6 年生で習う「線対称」の関係になっているのです。もっと分かりやすく絵で表せば、日本語と英語は、「アジの開き」の関係だと言ってもいいと思います。(14) の絵

を見てください。

(14)　日本語と英語の関係：アジの開きの関係

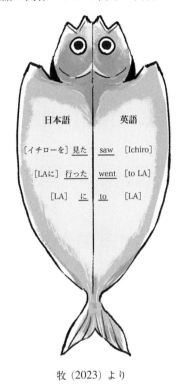

牧（2023）より

アジの開きの左半分が日本語で、右半分が英語です。

　さて、(14) で、下線が引かれた見た /saw やに /to は、アジの開きの中心、つまり、軸にあります。この軸の周りを、[…] 部分が、ぐるぐる回っていて、ボタンを押して、止まった位置が、たまたま左側なら、日本語、たまたま右側なら、英語というようなものです。そうすると、ちょっとおもしろいことが分かってきます。日本語が、軸の左側に要素を置くことと、英語が、軸の右側に要素を置くことが、単なる偶然であったら、そして、世界の言語も、このような軸を持っているとすれば、世界の言語が、

日本語のように左側タイプであるか、英語のように右側タイプであるかは、フィフティ・フィフティであるということになります。実際は、どうでしょうか？ 面白いことに、世界の言語の約45%は日本語タイプ、そして、別の約45%は英語タイプなのです。フィフティ・フィフティです。ですから、本当に、ルーレットを回して、偶然、日本語タイプになるか英語タイプになるかというようなことが起きているようです。残りの10%は、日本語と英語と違って、動詞が、先頭に来る言語です。これらの言語の中には、アイルランド語などが入ります。アイルランド語の性質に関しては、牧（2019）『誰でも言語学』にやさしい言葉で書かれています。

　もし世界の言語が、ほとんど、日本語タイプか英語タイプであるなら、私たち日本人には、結構都合がいい世界になっています。私たちは、日本語を知っているので、世界の約45%の言語について、語順が同じですから、単語さえ分かれば、ほぼすぐに理解できます。さらに、日本では、もう小学校から英語を学び始めますから、世界の別の約45%の言語についても、英語と語順が同じですから、単語さえ分かれば、ほぼすぐに理解できます。実際に、英語を学んだことがあれば、フランス語やスウェーデン語を理解することは、それほど大変ではありません。また、私たちは、日本語を知っているので、同じタイプの韓国語やモンゴル語を理解することは、文字や単語の違いはありますが、驚くほど簡単なことです。これについては、第11回以降で見ていきます。

第❸回　日本語と英語の文の構造

日本語の単文1

　これまで、日本語と英語の関係が、アジの開きのように、鏡像関係になっていることを見てきました。ちょっと言い方を変えれば、日本語と英語は、文の構造がかなり似ているということになりそうです。以下では、日本語と英語の文の構造について詳しく見ていきます。以下の解説は、Tsujimura（1996）の5章を参考にしています。言語学入門の書として、最も丁寧で分かりやすいものの一つだからです。Tsujimura（1996）は、現在、Tsujimura（2013）が最新です。

　まず、以下の日本語の表現から考えていきましょう。

　(1)　翔平は、球場で赤いホットドッグを食べている子供を見つけた。

きっとケチャップを塗りたくったんでしょう。この表現は、よく考えてみると、二つ異なることを示しています。具体的には、(2)と(3)に示すような意味です。

　(2)　翔平が食事中の子供を見つけた。翔平が見つけた場所は、球場だ。

　(3)　翔平が食事中の子供を見つけた。子供が食べている場所は、球場だ。

(2) の場合、翔平は、絶対に球場にいます。一方、(3) の場合、翔平が家でテレビを見ていて、画面越しに、球場内でホットドックを食べている子供を見つけたというような意味も可能です。

　このような文があいまいな表現であるということは、口で言えば、その通りですが、もう少し、明確に示す方法はないでしょうか？　あります。それは、きちっと構造で示すという方法です。そのような構造を、専門的には、句構造と言います。以下で、その句構造の作り方を見ていきます。

　では、(1) の中の最初の部分だけ、まず考えてみましょう。

　(4)　赤いホットドッグ

(4) において、「赤い」は、形容詞と言います。そして、「ホットドッグ」は、名詞と言います。さあ、(4) では、この形容詞と名詞が合体していますが、形容詞と名詞が合体すると、それは、形容詞になるんでしょうか？名詞になるんでしょうか？　その状況を分かりやすい形で描くと、(5) のようになります。形容詞は、英語で Adjective と言うので、A、名詞は、英語で Noun というので、N と略して示します。

　(5)

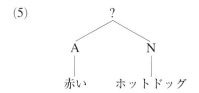

(5) で、A と N を足すので、? は、A 自体、N 自体より、ちょっと大きくなっているはずなので、そのちょっと大きいものを AP（Adjective Phrase ＝形容詞句）、あるいは、NP（Noun Phrase＝名詞句）と呼びたいと思います。そうすると、? は、(6) の二つのオプションのうちのどちらかになることになります。

(6) a.　? = AP

    b.　? = NP

では、このどちらが正しいか、以下の例を使って考えてみましょう。「買った」は、動詞です。動詞は、目的語を取ります。では、その目的語の位置に、(9) の「赤いホットドッグ」を入れてみます。

(7)　[赤いホットドッグ] を買った。

(7) は、正しい日本語です。では、この「赤いホットドッグ」が、名詞的なのか形容詞的なのかを見るために、その同じ場所に、名詞と形容詞を入れてみます。以下の例を見てください。

(8)　名詞を入れた場合

    a.　[バット] を買った。

    b.　[おにぎり] を買った。

(9)　形容詞を入れた場合

    a. *[短い] を買った。

    b. *[細い] を買った。

一目見て明らかなように、(9) の例は、日本語として、正しいとは言えません。そうすると、(5) の？は、(6) の二つのオプションのうち、(6b) の？= NP であることになります。そうすると、(5) は、(10) の構造をしていることになります。あれ、なんだか少し立ち上がってるな。

(10)

ここで、一つ、面白い問題が出てきます。(11) の例を見てください。

(11)　とても赤いホットドッグ

「赤い」は、形容詞でした。(11) では、その「赤い」に、それを修飾する副詞「とても」がついています。副詞は、英語で Adverb と言うので、形容詞の A と区別するために、ADV と呼ぼうと思います。そうすると、(11) の構造は、「赤い」という形容詞よりも、ちょっと大きい形容詞が含まれていることになります。上で、形容詞よりもちょっと大きい形容詞を Adjective Phrase = AP と呼ぶことに決めていたので、(11) の構造は、(12) のようになります。あれ、さらに立ち上がってるな。

(12)

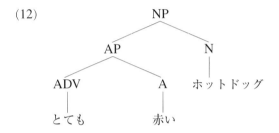

(12) を見ると、ちょっと面白いことが分かってきます。あれ、N があれば、NP があり、A があれば、AP がある。ちょっときれいな感じです。そうなると、この際、このきれいな法則を ADV にも適用すれば、(12) は、(13) のようになります。

(13)

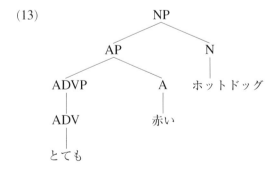

そうすると、N があれば、NP があり、A があれば、AP があり、ADV

あれば、ADVP（Adverb Phrase＝副詞句）があるということになります。さらに、ADVP のように自分自身だけを含んでいる場合を除けば、不思議なことに、すべて右にあるものが、上に伸びているように見えます。ADVP と A があれば、右側にある A が上に伸びて、AP に、AP と N があれば、右側にある N が上に伸びて、NP になります。そこで、どうやら、日本語には、(14) のような規則があるように見えます。

(14)　右手にある範疇（名詞、形容詞など）が、上に投射する。(日本語)

名詞、形容詞、副詞などを、専門用語で、範疇と言います。

　さて、そうなると、また新たな問いが出てきます。他にも、範疇があります。例えば、助詞はどうでしょうか？ 以下では、後に見る英語との対比を考えて、後置詞と呼ぶことにします。(英語では、前置詞と呼ばれるものがあるので) では、(15) の例を考えてみましょう。

(15)　球場で

(14) の規則があれば、つまり、日本語では、右手にある範疇（名詞、形容詞など）が、上に投射するのであれば、(15) は、(16) のような構造を持つことになります。後置詞は、英語で、Postposition と言うので、P と表し、それより少し大きいものを Postposition Phrase＝PP（後置詞句）と呼びます。あれ、また立ち上がってるな。

(16)

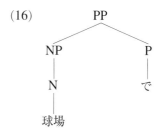

（16）では、「球場」は、名詞であり、副詞の場合と同じように、それ自体が投射して、名詞句になっています。

　続いて、動詞はどうでしょうか？（17）の例を考えてみましょう。

（17）　ホットドッグを食べる

再び、（14）の規則があれば、つまり、日本語では、右手にある範疇（名詞、形容詞、後置詞など）が、上に投射するのであれば、（17）は、（18）のような構造を持つことになります。動詞は、英語で、Verb と言うので、V と表し、それより少し大きいものを Verb Phrase＝VP（動詞句）と呼びます。また、立ち上がってる。

（18）

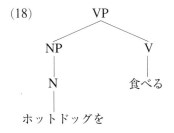

（18）では、「ホットドッグ」は、名詞であり、副詞の場合と同じように、それ自体が投射して、名詞句になっています。

　ここで一つ注意することがあります。「ホットドッグを」の「を」は、いったいどう扱うのかということです。もちろん、「を」も助詞であるので、「で」と同じように、後置詞であると考えることもできます。実際、そのように考える言語学者もいます。ただし、本書では、後に見る英語との対比を考慮に入れ、最も分かりやすい形で、日本語と英語の関係を捉えていきたいので、「を」のような格助詞が英語にないことから、以後、格助詞（「が」、「の」、「を」、「に」）は、付加している名詞の一部と考え、後置詞として扱わないようにします。（「に」には、少し注意が必要で、これについての注意点は、後に示します。）

さて、(15) と (17) を合わせると、(19) ができあがります。

(19)　球場でホットドッグを食べる

では、(19) の構造は、どうなるでしょうか？実は、とても簡単で、(16) と (18) を合わせて、(20) のようになります。

(20)

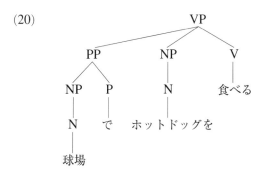

(20) の構造では、PP「球場で」が、V「食べる」、あるいは、NP＋V「ホットドッグを食べる」を修飾している状況を示しています。同時に、NP「ホットドッグを」が、V「食べる」の目的語として、隣に存在していることも示しています。PP「球場で」のような修飾語は、V、あるいは、NP＋V を修飾する限り、VP の下に置かれます。

　では、次の例は、どうでしょうか？

(21)　子供がホットドッグを食べる。

(21) では、VP「ホットドッグを食べる」に、主語として、「子供が」が足されています。さあ、この「子供が」は、いったいどこに来るでしょうか？「が」は、格助詞であるので、ここでは、後置詞と考えず、横に置いておきます。そうすると、「子供が」は、N であり、それが投射して、NP であるということになります。この NP は、どこに現れるでしょうか？二つ可能性があります。(22) と (23) です。

(22)

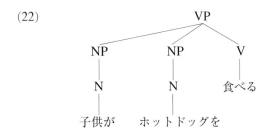

(23)

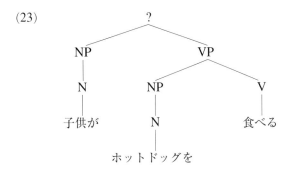

(22) では、主語の「子供が」と目的語の「ホットドッグを」が、VP の中に入っています。(23) では、主語の「子供が」は、VP の外に出てしまっています。

そこで、主語がいったいどこにあるかを調べるために、次の例を見てみましょう。

(24) a. 翔平がラーメンを食べた。
　　 b. 吉田もラーメンを食べた。

(24) では、二人が同じことをしています。スピード感がないので、(24b) を短縮して、(25b) のようにしてみます。

(25) a. 翔平がラーメンを食べた。
　　 b. 吉田もそうした。

(25b) を聞いて、日本語として、違和感はないと思います。問題ないで

す。これを胸に、次の例を考えてみましょう。

(26) a.　翔平がラーメンを食べた。
　　　b.　翔平がカレーも食べた。

「翔平が」が2回出てくるので、少しスピード感がないですが、まったく
問題ないです。では、(25) のようなパターンを作りたいので、(26) を
いったん (27) の形にします。

(27) a.　ラーメンを翔平が食べた。
　　　b.　カレーも翔平が食べた。

再度、「翔平が」が2回出てくるので、少しスピード感がないですが、まっ
たく問題ないです。さあ、それでは、実験です。(27) を (28) のように
したら、どうなるでしょうか。

(28) a.　ラーメンを翔平が食べた。
　　　b.　カレーもそうした。

(28b) は、(25b) と同じパターンで作ってみました。いや、その、「そう
した」って何？　ああ、言いたいことは、「そうした」は、「翔平が食べ
た」ってことですね？　(28a) にある部分。いや、さすがに、それは難し
いんじゃないでしょうか。では、(25b) は、日本語として完璧で、(28b)
は、さっぱりおかしいとしましょう。これは、何を意味しているんでしょ
うか？　(25b) の「そうした」と (28b) の「そうした」は、それぞれ、次の
ことを指しています。

(29) a.　(25b) の「そうした」: ラーメンを食べた
　　　b.　(28b) の「そうした」: 翔平が食べた

(29a) の「ラーメンを食べた」は、目的語と動詞です。つまり、全体で
VP (動詞句) です。一方、(29b) の「翔平が食べた」は、主語と動詞です。

そして、この主語 + 他動詞という組み合わせは、可能なかたまりではないということを示しています。となると、主語は、VP の中に入っているというよりは、その外に放り出されていて、他動詞とは決して仲間になれないということを意味しています。となると、(22) と (23) の構造では、

(22)

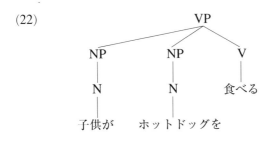

(23)

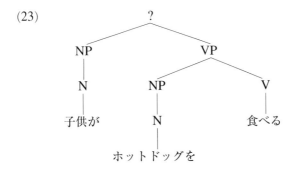

(23) の構造の方が妥当であると考えられるということです。主語は、VP の外にある。

　もう一つ、同じことを示す例が、聞きなれた競技名からも得られます。その競技とは、

(30)　砲丸投げ

です。もともとは、この語の背後には、次のような文があります。

(31)　アスリートが　砲丸を　投げる。

(31) より、目的語と他動詞を使って作ったのが、(30) です。では、主語

と他動詞を使って作ると、こうなります。

　(32) *アスリート投げ

誰を投げちゃってんだって。いや、意味は、アスリートが投げているんで
すが、決してそういう意味になりません。これが何を意味しているかと言
えば、そうです。目的語と他動詞は、仲間になれるが、主語と他動詞はそ
うなれないということです。したがって、主語は、VP（動詞句）の外に
あるということになります。

　では、以下では、主語は、VP の外側にあると考えて話を進めていきま
しょう。ところが、実は、ここで、言語学において最大の不思議に付きま
とわれることになります。もう一度、(23) の構造を見てみましょう。

(23)

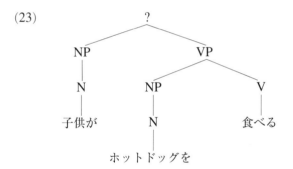

(23) の一番上にあるのは、? です。私たちは、これまで、日本語には、
(14) の規則が存在すると仮定してきました。

　(14)　右手にある範疇（名詞、形容詞など）が、上に投射する。（日本
　　　　語）

(23) において、右手にある範疇に匹敵するのは、いったい何でしょう
か？　範疇は、N や A や V などで、VP のように、ちょっと大きいもの
ではありません。そうなると、右手にある範疇が、すでになく、投射して
くれるものがないため、? が一体何であるか、まったく決定できないとい

24

う状況に陥ってしまうのです。(22) ではないということが分かって、よ
うやく一息ついたと思ったら、(23) で、まったく理解できない状況に突
入してしまいました。

　そこで、本書では、(21) のような単語の連鎖を、一般的に、「文」と呼
ぶことから、

　(21)　子供がホットドッグを食べる。

(23) における ? を「文」と考え、「文」は、英語で sentence であるので、
S と表そうと思います。相当立ち上がってるな。

(33)

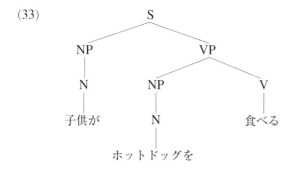

もちろん、(33) は、大問題を含んだままです。S は、下の方にあるどの
範疇からも投射されたものではないからです。それでも、現時点では、ど
う考えていいか分からないので、主語と動詞を含むものを S として話を
進めていきます。これについて、気になって仕方なく、より詳しく知りた
い方は、Chomsky (1986) を参考にしてください。第 14 回に、その概略
が書いてあります。そして、コラム 3 もどうぞ。

第4回　日本語と英語の文の構造

日本語の単文 2

長良川球場

　さて、これまで手に入れた知識をもって、(1) の例が、二通りにあいまいである理由を明らかにしていきましょう。

　(1)　翔平は、球場で赤いホットドッグを食べている子供を見つけた。

(1) は、(2) と (3) に示すように、二つ意味があります。

　(2)　翔平が食事中の子供を見つけた。翔平が見つけた場所は、球場だ。

　(3)　翔平が食事中の子供を見つけた。子供が食べている場所は、球場だ。

まず、(2) から考えてみましょう。(2) は、簡単に言えば、(4) です。

　(4)　翔平が　球場で　子供を　見つけた。

ああ、これは、もう、一度見たことがあるような文です。主語と動詞句からなる文ですね。構造を描いてみましょう。

26

(5)

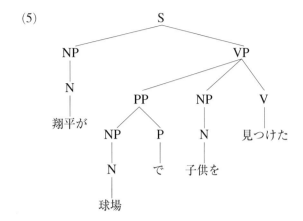

(5) では、PP「球場で」が、V「見つけた」が投射している VP の内部に
あります。では、(3) はどうでしょうか？ (3) の重要部分は、簡単に言
えば、(6) です。

　(6)　子供が　球場で　ホットドッグを　食べている。

(6) の構造を描いてみましょう。

(7)

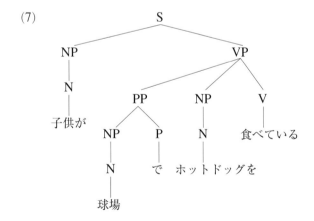

あら、構造は、(5) と全く同じでした。ただし、(7) では、PP「球場で」
が、V「食べている」が投射している VP の内部にあります。

　もちろん、(1) が (3) の意味を持つ正式な構造は、(7) ではなく、より複雑な関係節を含んでいます。これについては、もう少し先で詳しく見ます。今は、(7) を心に持っておけば十分です。

　これまでのことから、なぜ (1) が二通りの意味を持つかがある程度明確になってきました。はい、構造が、とりわけ、PP「球場で」が付いている場所が、全く違うというわけですね。

　以下では、(5) や (7) のように、記号と線でつながれた構造を、簡単に、木構造と呼ぼうと思います。上から下にだんだん広がっている形が樹木のように見えるからです。

　さて、ここまで、私たちは、文やそれを構成する要素の構造がだいたい分かってきました。文＝S 以外は、すべてきれいに、右手にある範疇が上の方に投射していくことも分かりました。それでは、これらを踏まえ、もう少し先に進んでみましょう。この投射の規則、実は、ものすごい力を持っています。文＝S だけは少し脇においておき、他の範疇を考えてみます。範疇が必ず投射するなら、(8) の状況は、あり得ますが、(9) の状況は、絶対あり得ないことになります。

(8)　あり得る投射

    a.　N　　　→　NP

    b.　A　　　→　AP

    c.　P　　　→　PP

    d.　V　　　→　VP

    e.　ADV　→　ADVP

(9)　あり得ない投射

    a. *N　　　→　AP

    b. *A　　　→　PP

    c. *P　　　→　VP

    d. *V　　　→　ADVP

28

　　　e. *ADV　→　NP

(8) と (9) が示していることは、日本語であれば、NP＝名詞句があれば、その中には、絶対 N＝名詞があり、VP＝動詞句があれば、その中には、絶対 V＝動詞があるということです。

　さらに、右手にある範疇が投射すると言ってくれているので、なんと、句の中にある範疇と、他の要素が入っていた場合、その順番も決めてくれます。これまで見てきた例で考えると、投射の規則によって、句の内部構造は、次のように決定されます。… に他の要素が一つ入ると考えてください。

　(10)　句の内部構造
　　　a.　NP　　　→　　…N
　　　b.　AP　　　→　　…A
　　　c.　PP　　　→　　…P
　　　d.　VP　　　→　　…V
　　　e.　ADVP　→　　ADV

投射の規則は、ここまで、日本語の句の内部構造を決定してくれます。ものすごい力を持っていると言えます。

　ところが、一点だけ、そこまではやれないということがあります。それは、… に入る要素が、二つ以上あったり、時には出現したり、時には出現しないというような要素がある場合、その要素の順番や出現の状況を完全に捉えることができないということです。具体的には、(11) のような例です。

　(11) a.　ホットドッグを　買った
　　　b.　球場で　ホットドッグを　買った

(11) を記号で表せば、(12) のようになります。

(12)　a.　NP V

　　　 b.　PP NP V

投射規則は、(12) において、V が右端に出現することと、全体が VP で
あることは、きちっと予測してくれます。ところが、投射規則は、PP が
出現するかどうか、また、PP が NP の前に来ることまでは、予測してく
れません。

　そこで、投射規則の本質自体は維持しながら、(12) のような二つの構
造を同時に生み出せる規則があると、大変ありがたいことになります。そ
こで、そのような構造を生み出すような規則を、この際、考え出してしま
いましょう。(12) の二つの構造を生み出すような規則は、(13) のように
考えてもいいと思います。(　) という記号を使います。

　(13)　VP　→　(PP) NP V

(13) が何を意味しているかというと、次のことです。まず、VP があれ
ば、必ず、その内部に、V がある。そして、日本語であれば、必ず、右
端にある。そして、(　) という記号が、その中に入っている要素は、選
択的に出現できることを意味するとすれば、PP は、(　) の中に入ってい
るので、出現することもできるし、出現しないこともできる。つまり、
PP は、選択的要素である。そして、PP が出現する場合もしない場合も、
目的語の NP は、V の左隣に出現する。

　そうすると、(13) のような規則は、投射規則の本質を含みこんでいま
すが、それ以上の仕事もしているので、句構造を作り出すという意味で、
句構造規則と呼びます。これを最初に提案したのは、Chomsky（1957）
です。句構造規則は、英語で、Phrase Structure Rule と言います。

　さて、この (13) の形式をした句構造規則を、他の範疇にも当てはめて
作ってみましょう。これまで見てきた例をもとに作ってみます。

(14)　句構造規則（日本語）

    a.　NP　　　→　（AP）N

    b.　AP　　　→　（ADVP）A

    c.　PP　　　→　NP P

    d.　VP　　　→　（PP）（NP）V

    e.　ADVP　→　ADV

    f.　S　　　　→　NP VP

具体的に（14）の句構造規則が、どのような例を生み出すか見てみましょう。(14a) から。NP の内部には、必ず N があります。同時に、AP があることもあります。

(15)　a.　ホットドッグ（N）

    b.　赤いホットドッグ（AP N）

　続いて、(14b)。AP の内部には、必ず A があります。同時に、ADVP があることもあります。

(16)　a.　赤い（A）

    b.　とても　赤い（ADVP A）

次に、(14c)。PP の内部には、必ず P があります。そして、必ず、NP を左手に取ります。

(17)　球場　で（NP P）

次に、(14d)。VP の内部には、必ず V があります。そして、他動詞の場合は、目的語の NP を取り、自動詞の場合は、目的語がありません。また、他動詞・自動詞にかかわらず、場所の PP を取る場合があります。

(18)　a.　ホットドッグを　買った（NP V）

    b.　球場で　ホットドッグを　買った（PP NP V）

　　　c.　咲いた（V）

　　　d.　庭で　咲いた（PP V）

　続いて、(14e)。ADVP の内部には、必ず ADV があります。また、(19b) のように、ADV を修飾する ADVP もあります。ただし、以下では、このような例は使いませんので、(14e) のシンプルな規則にとどめておきます。

(19)　a.　ゆっくり（ADV）

　　　b.　とても　ゆっくり（ADVP ADV）

　最後に、(14f)。文＝S は、投射規則からは、まったく得られるものではないことは、上で見ました。句構造規則では、S は、NP と VP に分割されます。(20a) は、動詞が自動詞の場合、(20b) は、動詞が他動詞の場合です。

(20)　a.　朝顔が　咲いた。（NP VP）

　　　b.　子供が　ホットドッグを　食べた。（NP VP）

　先に進む前に、目的語を二つ取る他動詞の例も見ておきます。

(21)　翔平が　一平に　ホットドッグを　あげた。

動詞「あげた」は、あげる人、もらう人、あげるものの三つが必ず必要です。どれか一つでもないと、何かが足りないと感じます。さて、(21) における VP は、(22) です。

(22)　一平に　ホットドッグを　あげた

ここで二点、注意することがあります。まず一点目は、「一平に」の「に」の範疇です。二つの可能性があります。後置詞として扱うべきか、「が」や「を」のように、名詞に付加しているだけとして扱うべきか。言語学者

の間でも意見は分かれますが、本書では、目的語を二つ取る動詞に現れる「に」は、「が」や「を」のように、名詞に付加しているだけとして扱うことにします。その理由は、後に見ますが、英語においても、同様の文があり、それと並行的に扱った方が、簡単であると思うからです。

(23)　Shohei gave Ippei hot dogs.
　　　'翔平が、一平にホットドッグをあげた。'

(23) で、*Ippei* は、裸のままで、「に」に当たるものがついていません。もちろん、英語では、(24) の言い方も可能です。

(24)　Shohei gave hot dogs to Ippei.
　　　'翔平が、一平にホットドッグをあげた。'

この場合は、*Ippei* に、「に」に当たる *to* がついています。この場合は、*to* を前置詞＝Preposition として扱い、*to Ippei* を前置詞句＝Preposition Phrase として扱います。英語の場合は、2 種類あるので少し面倒ですが、その面倒を省くために、日本語では、「一平に」を一貫して名詞句として扱っていこうと思います。

　もう一つは、「一平に」という間接目的語が、正しく生み出されるように、句構造規則 (14d) を少し修正する必要があるということです。

(14)　句構造規則
　　　d.　VP　→　(PP) (NP) V

(14d) は、(25) のような例を考えると、(26) のように修正される必要があります。

(25) a.　翔平が　球場で　一平に　ホットドッグを　あげた。
　　 b.　翔平が　昨日　一平に　ホットドッグを　あげた。

(25a) では、「球場で」という後置詞句＝PP が、また、(25b) では、「昨

日」という副詞句 = ADVP が加わっています。「昨日」は、一見名詞句の
ように見えますが、動詞「あげた」を修飾しているので、副詞（句）と考
える方がよさそうです。(26) における { } の記号は、その内部にある
ものをどれか一つ選びなさいという意味です。ただし、その内部にある要
素が（ ）の中に入っていれば、それを選んでも選ばなくてもよいという
ことになります。

(26)　句構造規則

$$\text{VP} \;\rightarrow\; \begin{Bmatrix} \text{(PP)} \\ \text{(ADVP)} \end{Bmatrix} \text{(NP)}\;\text{(NP)}\;\text{V}$$

したがって、(14) の句構造規則は、(27) のように修正されます。

(27)　句構造規則（日本語）

    a.　NP　　　→　(AP) N

    b.　AP　　　→　(ADVP) A

    c.　PP　　　→　NP P

    d.　VP　　　→　$\begin{Bmatrix} \text{(PP)} \\ \text{(ADVP)} \end{Bmatrix}$ (NP) (NP) V

    e.　ADVP　→　ADV

    f.　S　　　　→　NP VP

　もちろん、(27) の句構造規則が完璧であるとは言えません。例えば、
(28) のような例が出てくれば、それを作り出すことができません。

(28) a.　翔平が　菊池と　岩手から　帰った。

    b.　翔平が　昨日　シアトルに　行った。

(28a) では、VP の中に、PP「菊池と」ともう一つの PP「岩手から」があ
り、(28b) では、VP の中に、ADVP「昨日」と PP「シアトルに」があり
ます。ところが、(27d) の規則は、PP「岩手から」と PP「シアトルに」

のための場所を作り出すことができません。そこで、(27d) を少し修正
し、全体として、(29) の規則に修正する必要があります。

(29)　句構造規則（日本語）

 a.　NP　　　→　(AP) N

 b.　AP　　　→　(ADVP) A

 c.　PP　　　→　NP P

 d.　VP　　　→ $\left\{\begin{array}{c}(PP)\\(ADVP)\end{array}\right\}\left\{\begin{array}{c}(NP)\\(PP)\end{array}\right\}$ (NP) V

 e.　ADVP　→　ADV

 f.　S　　　　→　NP VP

(27d) を (29d) に修正したことで、(28a) と (28b) の文は、正しく作り
出すことができます。このように、(29) にあるような句構造規則は、か
なりの程度正確ですが、すべての文を網羅しているとは言い切れません。
必要があれば、少しずつ改定していく必要があります。

 (30) の例は、さらなる改訂が必要であることを教えてくれます。

(30)　a.　赤いホットドッグ

  b.　一平のホットドッグ

(30a) は、(29a) によって作り出すことができますが、(30b) は、できま
せん。「一平の」は、NP だからです。そこで、(29) を (30) に修正しま
す。

(30)　句構造規則（日本語）

 a.　NP　　　→ $\left\{\begin{array}{c}(NP)\\(AP)\end{array}\right\}$ N

 b.　AP　　　→　(ADVP) A

 c.　PP　　　→　NP P

d.　VP　　　→ $\left\{\begin{array}{c}\text{(PP)}\\\text{(ADVP)}\end{array}\right\}\left\{\begin{array}{c}\text{(NP)}\\\text{(PP)}\end{array}\right\}$ (NP) V

e.　ADVP　→　ADV

f.　S　　　→　NP VP

ただし、(30a) が示してくれる名詞句内部の構造は、実は、かなり複雑で
あるので、これ以上の修正を加えず、現時点では、(30) を想定して話を
進めていきます。(もちろん、後にさらに修正を加えますが。)

　さて、日本語の単文に関する句構造規則が分かってきたので、次は、ア
ジの開きの関係にある英語においては、どのような句構造規則が必要なの
か見ていきましょう。すでに日本語の句構造規則が分かっているので、英
語の句構造規則を作り出すのは、とても簡単なことです。

宿題 1 回目

以下の各文に対して、木構造を描いてください。その際、以下の句構造規
則を利用してください。エクセルで木構造を描くことをお勧めします。

句構造規則（日本語）

a. S → NP VP

b. NP → $\left\{\begin{array}{l}(NP)\\(AP)\end{array}\right\}$ N

c. VP → $\left\{\begin{array}{l}(PP)\\(ADVP)\end{array}\right\}$ $\left\{\begin{array}{l}(NP)\\(PP)\end{array}\right\}$ (NP) V

d. PP → NP P

e. AP → (ADVP) A

f. ADVP → ADV

例　翔平が来た。

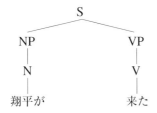

注意：日本の国語教育においては、「赤い」のように「い」で終わる品詞を
形容詞、「静かだ」のように「だ」で終わる品詞を形容動詞と習います。以
下では、どちらの場合も、「形容詞」と考えて構造を作ってください。

1　一平が踊った。
2　菊池が岩手に行った。
3　翔平が、吉田と岩手に行った。
4　千賀がりんごをむいた。
5　ダルビッシュが、吉田とおにぎりを食べた。
6　誠也が、昨日、藤浪とすしを作った。
7　新庄が、赤い車を買った。

8　千賀が、とてもまれなレコードを買った。

9　吉田が、ボストンで、極めて大きいねずみを見た。

10　イチローの兄が、猫を見つけた。

11　誠也の姉が、白い家で、猫を飼っている。

12　翔平の母親が、昨日、岩手で、とてもさわやかな人を見かけた。

13　一平が、藤浪に、人形をあげた。

14　新庄が、妹に、北海道の小豆をあげた。

15　菊池が、一平の妹に、メープルシロップをあげた。

16　健太が、おととい、友達に、手紙を送った。

17　健太の弟が、吉田の姉に、花束を送った。

18　イチローが、昨日、自分の犬に、とてもまろやかな骨を与えた。

第5回　日本語と英語の文の構造

英語の単文

　さて、英語においても、日本語と同じように、(1) に見られるような文 = S があるので、(2) の句構造規則は必要です。これより後は、基本的には、英語の例文の下に、日本語訳をつけません。例文は、極めて簡単な語しか使用していないので。必要だと思われるところにだけ日本語訳をつけます。

　(1)　Ichiro praised Shohei.（NP VP）

　(2)　S　→　NP VP

　また、英語には、(3) に見られるように、日本語とは反対となる、前置詞句 = Preposition Phrase（PP）が存在するので、(4) の句構造規則も必要です。

　(3)　in Seattle（P NP）

　(4)　PP　→　P NP

　続いて、(5) に見るように、英語にも目的語を二つ取る動詞が存在するので、動詞句に関する句構造規則 (6) も必要です。

(5) a.　Shohei gave Ippei hot dogs. (NP NP)

　　b.　Shohei gave hot dogs to Ippei. (NP PP)

(6)　VP　→　V (NP) $\begin{Bmatrix} \text{(NP)} \\ \text{(PP)} \end{Bmatrix}$

　また、英語では、(7) に見られるように、副詞句は、動詞の最後に来るので、(6) は、(8) のように修正します。

(7) a.　Shohei gave Ippei hot dogs yesterday. (NP NP ADVP)

　　b.　Shohei gave hot dogs to Ippei yesterday. (NP PP ADVP)

(8)　VP　→　V (NP) $\begin{Bmatrix} \text{(NP)} \\ \text{(PP)} \end{Bmatrix}$ (ADVP)

　ADVP があれば、当然、投射のもととなる ADV があるので、(9) の句構造規則も存在します。

(9)　ADVP　→　ADV

　さらに、(10) に見られるように、副詞は、形容詞を修飾するので、(11) の句構造規則も必要です。

(10)　very good (ADVP A)

(11)　AP　→　(ADVP) A

　また、英語にも、(12) に見られるような表現が存在するため、(13) の句構造規則が必要になります。

(12) a.　red hot dogs

　　b.　Ippei's hot dogs

40

(13)　NP　→　$\begin{Bmatrix} (NP) \\ (AP) \end{Bmatrix}$ N

　最後に、(14) で見るように、英語には、日本語ではあまりはっきりしない、冠詞 = Determiner（D）が存在するので、冠詞に関する句構造規則が必要になります。

(14) a.　a pen

　　 b.　the man

D は、(15) で見るように、形容詞の前に現れます。

(15) a.　a long pen

　　 b.　the good man

(15a) の構造は、*a* が *long pen* に付いて、全体として、名詞句を構成しているので、本書では、(16) のように表したいと思います。

(16)　a long pen（15a）

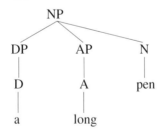

そうすると、DP に関して、(17) の句構造規則が必要となり、また、NP に関する句構造規則も、(18) のように修正される必要があります。

(17)　DP　→　D

(18)　NP　→　(DP)$\begin{Bmatrix} (NP) \\ (AP) \end{Bmatrix}$ N

(18) に関しては、言語学者によって、さまざまな考え方があるため、本書では、この規則を便宜上使用しますが、他の言語学者の仮説もよく見ておく必要があります。興味がある方は、まず、Abney（1987）を見てください。

　さて、これまで一つずつ見てきた英語の句構造規則を一つにまとめると、(19) のようになります。

(19)　句構造規則（英語）

    a.　NP　　　→　（DP）$\left\{ \begin{array}{c} (\text{NP}) \\ (\text{AP}) \end{array} \right\}$　N

    b.　AP　　　→　（ADVP）A

    c.　PP　　　→　P NP

    d.　VP　　　→　V（NP）$\left\{ \begin{array}{c} (\text{NP}) \\ (\text{PP}) \end{array} \right\}$（ADVP）

    e.　ADVP　→　ADV

    f.　S　　　　→　NP VP

    g.　DP　　　→　D

では、この (19) の規則を使って、次の文の構造を描いてみましょう。

(20)　Ichiro piesd the man.

その構造は、(21) のようになります。英語もやっぱり立ち上がってんな。

(21)

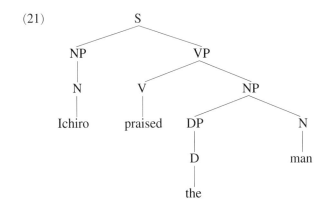

さて、次に進む前に、一つ重要な点についてお知らせしておきます。日本語と英語の句構造は、アジの開きの関係で、線対称になっていると学んできました。では、本当にそうなっているか、両言語の句構造規則を比べてみましょう。

(22) 句構造規則（日本語）

    a. NP   → $\left\{ \begin{array}{c} \text{(NP)} \\ \text{(AP)} \end{array} \right\}$ N

    b. AP   → (ADVP) A

    c. PP   → NP P

    d. VP   → $\left\{ \begin{array}{c} \text{(PP)} \\ \text{(ADVP)} \end{array} \right\}$ $\left\{ \begin{array}{c} \text{(NP)} \\ \text{(PP)} \end{array} \right\}$ (NP) V

    e. ADVP → ADV

    f. S   → NP VP

(19) 句構造規則（英語）

    a. NP   → $\left\{ \begin{array}{c} \text{(DP)} \\ \text{(AP)} \end{array} \right\}$ (NP) N

    b. AP   → (ADVP) A

    c. PP   → P NP

d.　VP　　　→　V (NP) $\begin{Bmatrix} \text{(NP)} \\ \text{(PP)} \end{Bmatrix}$ (ADVP)

e.　ADVP　→　ADV

f.　S　　　　→　NP VP

g.　DP　　　→　D

よく見てみると、(22) と (19) において、線対称になっていない、つまり、同じ形になっているところが 2 か所あります。そうです、a と b です。つまり、名詞と形容詞の構造は、なんと、日本語と英語で、ほぼ同じになっているのです。これは、かなりの謎ですが、それでも、英語の名詞には、次のような構造があることにも注意してください。

(23)　someone special (N A)

　　　'特別な人'

(23) のように、*someone* のような普通名詞ではないような名詞が来ると、それを修飾する形容詞は、その後ろに置かれ、やはり、日本語と線対称になります。ただし、形容詞 - 副詞の順番に出てくるものは、私が見ている限り、皆無であるので、これについては、完全に、日本語と英語の句構造の線対称性が崩れています。なぜこの箇所だけ、そのようなことが起きているかは、まだよく分かっていません。そこで、今は、これは、横に置いておき、より面白いことに向かいましょう。

宿題2回目

以下の各文に対して、木構造を描いてください。その際、以下の句構造規
則を利用してください。エクセルで木構造を描くことをお勧めします。

句構造規則（英語）

a. S → NP VP

b. NP → (DP) $\begin{Bmatrix} (NP) \\ (AP) \end{Bmatrix}$ N

c. VP → V (NP) $\begin{Bmatrix} (NP) \\ (PP) \end{Bmatrix}$ (PP) (PP) (ADVP)

d. PP → P NP

e. AP → (ADVP) A

f. ADVP → ADV

g. DP → D

例　Shohei came.

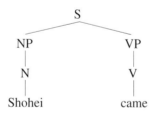

注意：last winter や two days ago は、一かたまりの副詞であると考え、
ADV の下に置きます。

1　Shohei laughed in his room.

2　Darvish went to New York yesterday.

3　Ippei graduated from UC Riverside last year.

（UC Riverside で一つの NP）

4　Fujinami met Shohei in Tokyo twenty years ago.

5　The man read the book.

6 Ichiro bought extremely big hot dogs in Seattle.

7 Senga played soccer in Aichi.

8 Yoshida gave oranges to the man.

9 Yoshida gave Senga expensive bananas.

10 Seiya sent CDs to her last month.

11 Seiya sent her the flowers.

12 Kikuchi shows us Mike's picture.

13 Ippei's mother loves Ichiro's dog.

14 Kikuchi's mother gave us her clothes last night.

15 Fujinami's father gave Kenta's car to us.

16 Kenta built his house with his brother last summer.

17 Shohei cooked rice in his house in the morning.

18 Shinjo went to the city with his friend by bus three weeks ago.

46

コラム1 形容詞の問題

　文の述語が動詞の例をずっと見てきました。では、述語が形容詞の時は、どうなるんでしょうか？ 英語の例から見てみましょう。

(1)　She is awesome.
　　　'彼女はすごい。'

これは、これまで与えられた句構造規則 (2) では、構造を描くことができません。

(2)　句構造規則（英語）
　　a.　S　　　→　NP VP
　　b.　NP　　→　(DP) {(NP)／(AP)} N
　　c.　VP　　→　V (NP) {(NP)／(PP)} (ADVP)
　　d.　PP　　→　P NP
　　e.　AP　　→　(ADVP) A
　　f.　ADVP →　ADV
　　g.　DP　　→　D

(1) では、is は、動詞 V で、awesome は、形容詞 A か形容詞句 AP です。(2c) の規則で、V の直後に、A/AP が見当たらないので、(2c) のままでは、(1) の構造が描けません。そこで、(2c) を改訂し、(3) のように修正します。

(3)　VP　　　　→　V {(NP)／**(AP)**} {(NP)／(PP)} (ADVP)

そうすれば、(4) のような構造を描くことができます。

(4)
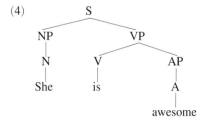

　ところが、日本語になると、突然問題が起きます。

　（5）　彼女はすごい。

「すごい」は形容詞（句）ですが、この文には、動詞がありません。これまで与えられている句構造規則では、（5）を作り出すことができません。

　（6）　句構造規則（日本語）
　　　a.　S　　　→　NP VP
　　　b.　NP　　→　$\begin{Bmatrix} (NP) \\ (AP) \end{Bmatrix}$ N
　　　c.　VP　　→　$\begin{Bmatrix} (PP) \\ (ADVP) \end{Bmatrix}$ $\begin{Bmatrix} (NP) \\ (PP) \end{Bmatrix}$ (NP) V
　　　d.　PP　　→　NP P
　　　e.　AP　　→　(ADVP) A
　　　f.　ADVP　→　ADV

（6c）で、文は、必ず、動詞 V で終わることになっているからです。そこで、（6a）を改訂し、（7）のように修正します。

　（7）　S　→　NP $\begin{Bmatrix} VP \\ AP \end{Bmatrix}$

そうすれば、（8）のような構造を描くことができます。

　（8）

　ところが、時制を過去にすると、不思議なことが起きます。

　（9）　彼女はすごかった。

（9）を少し分解してみると、（10）のようになります。

　（10）　彼女は　すごく　ある　た。

すると、形容詞だか副詞だか、何とも言えない「すごく」、動詞「ある」、そ

48

して、過去時制「た」が現れます。もはや、(6) と (7) では、手に負えません。このように形容詞は、次から次へとおもしろい問題を提起してくれます。

第⑥回　日本語と英語の文の構造

英語の複雑文 1

さて、これまで、単文の構造は、ほぼ分かってきました。では、埋め込み文がある例は、どうでしょうか？

   (1)　Ippei thought that Ichiro praised Shohei.

       ‘一平は、イチローが翔平をほめたと思った。’

(1) の文は、(2) の部分が、埋め込み文になっています。

   (2)　that Ichiro praised Shohei

さて、この部分は、これまでたどり着いてきた句構造規則 (3) で、作り上げることができるでしょうか？

   (3)　句構造規則（英語）

     a.　NP　　→　(DP) $\begin{Bmatrix} (NP) \\ (AP) \end{Bmatrix}$ N

     b.　AP　　→　(ADVP) A

     c.　PP　　→　P NP

     d.　VP　　→　V (NP) $\begin{Bmatrix} (NP) \\ (PP) \end{Bmatrix}$ (ADVP)

50

- e. ADVP → ADV
- f. S → NP VP
- g. DP → D

残念ながら、できません。その理由は、(2) の文頭の *that* です。この語は、「あれ」を意味するような名詞的なものではなく、日本語に直せば、「と」のようなものです。この *that*「と」の範疇は、名詞、形容詞、動詞、副詞ではありません。では、前置詞である可能性はあるかどうか。これもないです。前置詞であれば、*that* の後ろに NP が来て、PP = 前置詞句を形成することができるはずですが、それも無理です。というのも、(2) では、*Ichiro* は、*that* と仲間であるというわけではなく、*praised Shohei* と仲間となって、文 = S を形成しているからです。となると、この *that* は、まだ、見たことがない範疇だということになります。そこで、文 = S を導入する品詞という新たな品詞と考えていきましょう。専門用語では、埋め込み文 = 補文を導入するという意味で、「補文化標識」= Complementizer と言います。長いので、Comp (C) と書きます。

さて、この C を句構造規則に導入すると、(3) 全体にもう二つ句構造規則を足さなければなりません。簡単なのは、(4) です。投射の規則によって、C があれば、必ず、CP があるからです。

(4) CP → C

もう一つは、CP がいつも S の前にいるということを示す必要があります。ところが、S 自体は、前にも見たように、何かの投射になっていないちょっとした例外的なものでした。この S の左側に CP がくっつくわけですが、S 自体が何者かよく分からないので、普通の投射規則に従って考えにくいため、次のような句構造規則を想定します。

(5) S′ → CP S

つまり、(3) において、文 = S に *that* が付くことで、その S 自体が、少し大きくなっているということを示すために、S′ という記号を使います。本書では、「エス・バー」と読むことにします。この S′ は、SP と言ってもいいかもしれませんが、まず、S 自体が何者か分からないという起源を持つので、投射規則にそのまましたがって投射しているとはっきり言えないからです。まあそれでも、S′ か SP かは、それほど神経質に区別する必要はありません。ただ、本書では、S に *that* が付いた埋め込み文の場合、単文より少し大きいという意味で、S′ という記号を使います。これについて、気になって仕方なく、より詳しく知りたい方は、Chomsky (1986) を参考にしてください。第 14 回に、その要約が書いてあります。

　これらの新たに設定された句構造規則を足すと、以下のようになります。

(6)　句構造規則 (英語)

　　a.　NP　　→　(DP) $\begin{Bmatrix} (NP) \\ (AP) \end{Bmatrix}$ N

　　b.　AP　　→　(ADVP) A

　　c.　PP　　→　P NP

　　d.　VP　　→　V (NP) $\begin{Bmatrix} (NP) \\ (PP) \end{Bmatrix}$ (ADVP)

　　e.　ADVP　→　ADV

　　f.　S　　→　NP VP

　　g.　DP　　→　D

　　h.　**CP**　　→　**C**

　　i.　**S′**　　→　**CP S**

そして、このままでは、埋め込み文だけは単独で作り上げることができますが、主文の中に、本当に埋め込むということができません。それで、(6d) の句構造規則を、少し修正する必要があります。

(6) d.　VP　→　V　(NP)　$\begin{cases}(NP) \\ (PP)\end{cases}$　(ADVP)

埋め込み文は、言ってみれば、主文の V の目的語、あるいは、目的文であるので、目的語の位置に出現できるように、(7) のように修正します。

(7)　VP　→　V　$\begin{cases}(NP) \\ (S')\end{cases}$　$\begin{cases}(NP) \\ (PP)\end{cases}$　(ADVP)

では、この修正された句構造規則を (6) に足すと、以下のようになります。文を作ることを考え、句構造規則の順番を少し変えます。

(8)　句構造規則（英語）

　　a.　S　　　→　NP VP
　　b.　NP　　→　(DP)　(NP)　N
　　　　　　　　　　　　　(AP)
　　c.　VP　　→　V　$\begin{cases}(NP) \\ (S')\end{cases}$　$\begin{cases}(NP) \\ (PP)\end{cases}$　(ADVP)
　　d.　S'　　→　CP S
　　e.　AP　　→　(ADVP) A
　　f.　PP　　→　P NP
　　g.　ADVP　→　ADV
　　h.　DP　　→　D
　　i.　CP　　→　C

　では、これらの句構造規則を用いて、本当に (1) の例が作り出せるか見てみましょう。

(1)　Ippei thought that Ichiro praised Shohei.
　　　　'一平は、イチローが翔平をほめたと思った。'

まず、(8a) を使って、S を NP と VP に分けます。続いて、(8c) を使っ
て、VP を V と S′ に分けます。次に、(8d) を使って、S′ を CP と S に
分けます。そして、再度、(8a) を使って、S を NP と VP に分けます。
続いて、(8c) を使って、VP を V と NP に分けます。最後に、(8b) と
(8i) を使って、NP を N に、また、CP を C にします。そして、各範疇
の下に、語を置いていきます。そうすると、(1) は、(9) のような構造を
持つことが分かってきます。相当立ち上がってんな。

(9)

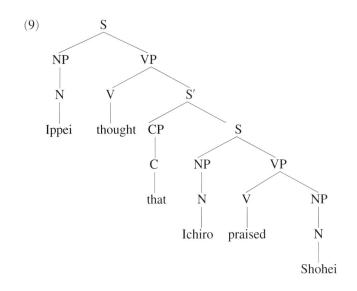

　(9) の埋め込み文は、平叙文、つまり、疑問文ではありませんが、*that*
を *whether* に変え、それに対応する動詞を用意すれば、埋め込み文に間
接疑問文を持つこともできます。

(10)　Ippei knows whether Ichiro praised Shohei.
　　　　'一平は、イチローが翔平をほめたかどうか知っている。'

(10) の構造も、(9) とまったく同じです。立ち上がってます。

(11)

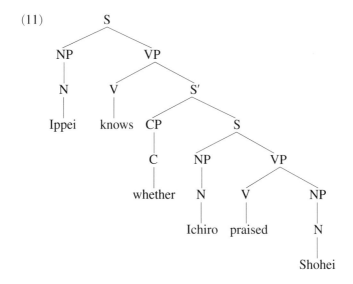

さらに、目的語を二つ取る動詞と副詞も含まれる文を見てみましょう。

(12)　Ichiro thinks that Shohei gave hot dogs to Ippei yesterday.
　　　'イチローは、翔平が昨日一平にホットドッグをあげたと思って
　　　いる。'

この場合も、(8) の句構造規則を使えば、正確に、(12) の文を作り出す
ことができます。

(13)

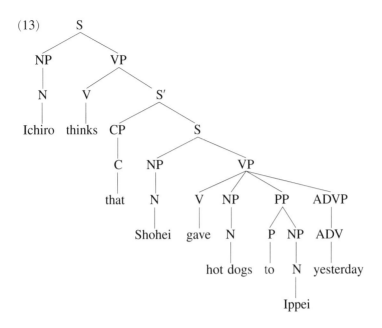

第7回　日本語と英語の文の構造

英語の複雑文 2

　ここまで見てくると、句構造規則は、万能だと思えてきます。英語のどんな文も、(1) の句構造規則があれば、作り出せそうです。

(1)　句構造規則（英語）

- a.　S　　　→　NP VP
- b.　NP　　→　(DP) $\begin{Bmatrix} (NP) \\ (AP) \end{Bmatrix}$ N
- c.　VP　　→　V $\begin{Bmatrix} (NP) \\ (S') \end{Bmatrix}$ $\begin{Bmatrix} (NP) \\ (PP) \end{Bmatrix}$ (ADVP)
- d.　S′　　　→　CP S
- e.　AP　　→　(ADVP) A
- f.　PP　　→　P NP
- g.　ADVP　→　ADV
- h.　DP　　→　D
- i.　CP　　→　C

そこで、もう一つ、間接疑問文の別のタイプの例を見てみましょう。

56

(2)　Ippei knows who Ichiro praised.

　　　'一平は、イチローが誰をほめたか知っている。'

(2) の特徴は、埋め込み文の目的語 *who*「誰を」が、主語 *Ichiro*「イチ
ローが」よりも前に来ていることです。では、(1) の句構造規則を使って、
(2) が作り出せるかどうか見てみましょう。*whether* が疑問を示す語であ
り、*who* もまた疑問を示す語であるので、C の下に置くことができるは
ずです。そうすると、(3) に示すように、やはり、正確に、(2) の文を作
り出すことができます。

(3)

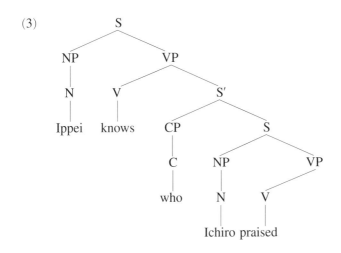

　ところが、句構造規則の性質を考えると、一つだけ、困ったことが起き
てしまいます。再度、句構造規則を見てみます。

(1)　句構造規則（英語）

　　a.　S　　　　→　NP VP

　　b.　NP　　　→　(DP) $\left\{\begin{matrix} \text{(NP)} \\ \text{(AP)} \end{matrix}\right\}$ N

　　c.　VP　　　→　V $\left\{\begin{matrix} \text{(NP)} \\ \text{(S')} \end{matrix}\right\}$ $\left\{\begin{matrix} \text{(NP)} \\ \text{(PP)} \end{matrix}\right\}$ (ADVP)

d. S′ → CP S

e. AP → (ADVP) A

f. PP → P NP

g. ADVP → ADV

h. DP → D

i. CP → C

(1) が言っているのは、→ の左側の要素を見つけたら、→ の右側のように展開しなさいということです。では、(1c) の規則のうち、ここでの議論に関係する部分だけを簡略化して示すと、(4) のようになります。

(4) VP → V (NP)

(4) が言っているのは、木構造中に VP を見つけたら、V だけで終わってもよいし、V NP にしてもよいということです。もし V だけを選べば、(3) の文は、正しく作り出せます。ところが、V と NP を選んだら、誤って、(5) のような文が出てくる可能性があります。そして、その構造は、(6) です。

(5) *Ippei knows who Ichiro praised **Shohei**.

'*一平は、誰をイチローが翔平をほめたか知っている。'

(6)

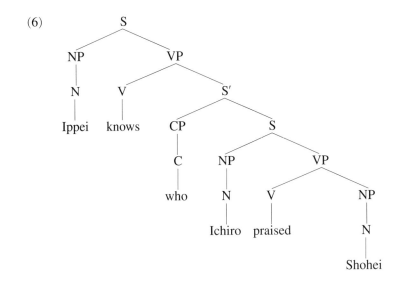

　ここで重要なのは、(5) において、動詞 *praised* は、他動詞であるので、目的語として *Shohei* を取ってもまったく問題にならないということです。こうなると、句構造規則は、正しい文を作り出すだけでなく、正しくない文も作り出してしまうという点で、「強すぎる」規則だということになります。一番好ましいのは、正しい文だけを作り出す規則です。では、句構造規則をどのように変えれば、正しい文だけ作り出すことができるでしょうか？　実は、できないのです。その理由は、句構造規則に、（　）が組み込まれているからです。（　）は、あってもなくてもいい要素ということを意味する装置です。しかし同時に、*yesterday* などの副詞句などは、あってもなくてもいい要素なので、（　）という装置は、やはり、必要であるようです。

　そうなると、(5) で問題になっているのは、句構造規則に（　）という装置を組み込んでいることに由来するものです。(5) の仲間の (2) で特徴的なことは、何だったでしょうか？　はい、明確ですね。それは、*who* がある場所から別の場所に移動していることです。そして、(5) では、もともと *who* があった場所に、*who* が移動した後に、別の要素 *Shohei* を

入れ込んだということです。そうなると、私たちが保証しなければならないのは、(7) のようなことです。

(7) もし *who* が現れたら、それに対応する NP は、絶対現れない。

(7) は、句構造規則自体からは保証されません。というのも、句構造規則は、隣り合う要素、つまり、同じ「階」にいる要素、の関係しか表せないからです。VP → V NP という規則を例に取れば、VP の内部には、V と NP という隣り合ったもの（同じ階にいるもの）が二つ同時に現れるということしか、表せないのです。VP → V NP という規則は、VP の外側の要素には、まったく無関心で、VP の外側に何が現れるか、さっぱり分からないのです。そうなると、(2) のような正しい文だけを作り出すためには、句構造規則の他に、(7) のような性質をもった規則が必要だということになります。

　そのような規則を最初に考え出したのは、Chomsky (1957) です。その規則の名前を変換規則 (Transformational Rule) と言います。意味は、とても簡単です。文中に、*who* のようなものを見つけたら、それを別の場所に移動させてやる、つまり、場所を変換させてやる、という、ただそれだけの規則です。簡単に言うと、以下の例において、こうなります。例えば、句構造規則によって、(8) のところまで作り上げたと仮定します。

(8) Ichiro praised who

この (8) に、変換規則がかかり、*who* を見つけたのだから、*Ichiro* の前、つまりは、CP の場所に、場所を変換させてやる、あるいは、CP の場所に、*who* を移動させてやるというわけです。その場所は、*whether* などの疑問語が置かれる場所であるので、*who* が置かれても、まったく問題ないはずです。そして、その結果が、(9) です。

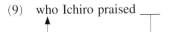

(9)　who Ichiro praised ___

(9) は、*who* がもともと *praised* の後ろにあって、そして、これは、句構造規則によって、その場所に置かれたものですが、それが、変換規則に見つかってしまって、それで、無理やり、*Ichiro* の前に移動したのですから、こう考えれば、(7) のことが、保証されることになります。それは、こういうことです。つまり、句構造規則というのは、文の一番最初の骨組みをきちっと作ってくれる規則で、それがいったん出来上がったら、今後は、変換規則が、その基本構造を見ていて、ああ、この要素は、場所を変えてやらねばならないなと思った場合にのみ、その要素を別の場所に移動させるということです。つまり、私たちの頭の中には、2 種類の規則が入っているようです。

(10)　a.　句構造規則（基本的骨組みを作る規則）

　　　b.　変換規則（必要なものだけ、場所を変える規則）

この変換規則の性質について、もう少し詳しく見てみましょう。まず、(11) の例を見てください。

(11)　Who do you want to succeed?

(11) は、実は、2 通りにあいまいです。二つ意味を持ちます。それは、以下の例で分かります。

(11)　a.　I want to succeed my father.

　　　　　 '私は、父の後を継ぎたい。'

　　　b.　I want my sister to succeed.

　　　　　 '私は、姉に成功してほしい。'

そうです。英語の動詞 *succeed* には、そもそも二つ意味があるのです。一つは、「後を継ぐ」という他動詞、もう一つは、「成功する」という自動

詞です。

さて、*want* は、少し面白い動詞で、次に *to* が来ると、一緒になって、*wanna* という具合に、ひとかたまりになって行動します。具体的には、(12a) の *want* と *to* が、(12b) で、*wanna* になります。意味は、まったく同じです。

(12) a. I want to go home.

　　　‘私は、家に帰りたい。’

　　b. I wanna go home.

　　　‘私は、家に帰りたい。’

では、これを念頭に、動詞 *succeed* と一緒になったらどうなるか、見てみましょう。

(13)　Who do you wanna succeed?

(13) では、*want* と *to* が一緒になって、*wanna* となり、その後ろに動詞 *succeed* が来ています。ところが、驚くことに、*succeed* には、意味が二つあったにもかかわらず、(13) の疑問文は、意味がたった一つになってしまいます。つまり、(14a) のように答えられますが、(14b) のようには答えられないのです。

(14) a. I want to succeed my father.

　　　‘私は、父の後を継ぎたい。’

　　b. *I want my sister to succeed.

　　　‘私は、姉に成功してほしい。’

これは、いったい何を意味しているんでしょうか？それを知るために、(13) の *who* の変換の状態をより詳しく見てみましょう。*who* は、文頭にありますが、明らかに、*succeed* の近くにもともといて、そこから、変換規則によって文頭に出たはずです。では、*who* のもともとの位置を探

して、[　]で表します。

(15)　Who do you want to succeed [　]?

'誰の後を継ぎたいの？'

(16)　Who do you want [　] to succeed

'誰に成功して欲しいの？'

さあ、(13)において、意味が、「誰の後を継ぎたいの？」しかないという事実は、いったい何を意味しているんでしょうか？　(13)において、最も重要な事実は、(16)の意味を持とうとすると、突然、*want*と*to*が*wanna*になれないということです。これは、大変奇妙な出来事です。*want*と*to*は、隣り合っていれば、*wanna*になれることは(12b)で見ました。(16)においても、*want*と*to*は、隣り合っています。というのも、[　]自体には、音声はないからです。では、なぜ音声がないにもかかわらず、*want*と*to*が*wanna*になれないんでしょうか？それはおそらく、私たちの脳が、音がない[　]、つまり、*who*のもともとの位置を、見ているからなのです。脳は、音がなくても、[　]をしっかり見ている。だから、それが邪魔であるとピンときて、*want*と*to*が隣り合っていないことを察知し、その結果、*wanna*を作り出すことができないのです。

　これは、大変なことです。なぜかというと、見えないものを脳が見ていることが、これで分かるからです。脳は、ものすごい力を持っています。これをより分かりやすく言うと、変換規則によって、要素が場所を変えた場合、つまり、移動した場合、そのもともとの位置には、脳によって見える要素が残っているということです。そこで、これを、その移動した要素の痕跡＝traceと言い、もともとの位置に、*t*という印を残すことにします。すると、(15)と(16)は、(17)と(18)のようになります。

(17) Who do you want to succeed *t*?

    '誰の後を継ぎたいの？'

(18) Who do you want *t* to succeed

    '誰に成功して欲しいの？'

この *t* は、脳には見えるので、*want* と *to* が隣接しているのは、(17) だけとなり、したがって、(17) においてのみ、*wanna* の形成が可能になるということになるわけです。

　では、これらを踏まえて、いったい、どのように文が脳から出てくるか簡単にまとめてみましょう。例として、(2) を使います。

(2) Ippei knows who Ichiro praised.
    '一平は、イチローが誰をほめたか知っている。'

まず、私たちの脳には、何らかの形で、単語帳がなければなりません。単語帳は、辞書と同じ意味です。英語では、Lexicon と言います。以下では、単語帳のことを辞書と言うことにします。仮に、たまたまある英語母語話者 A さんの脳内に、次のような辞書があったと仮定しましょう。

(19) a. Ichiro

    b. Shohei

    c. who

    d. knows

    e. praised

この辞書内の語を使って、A さんの脳は、いくつか語を引っ張り出してきて、句構造規則を用いて、例えば、(20) の VP の構造を作り上げます。

(20) [_{VP} praised who]

(20) の [...] を使った書き方は、(21) の木構造とまったく同じことです。スペースをとらないため、場合によっては、(20) の書き方を使用します。

(21)

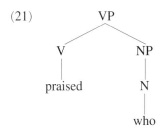

辞書から単語を二つ持ってきて、句構造規則によって一定の構造を作らなければ、変換規則は、一切かかることができません。場所を変えることが変換規則の仕事なので、一つしか語をもってこなければ、どこにも移動できないからです。さて、この (20)/(21) の構造に、さらに句構造規則が適用してもよいし、いよいよ変換規則が適用してもかまいません。ところが、変換規則は、ここではかかることができません。というのは、(22) で見られるように、英語では、疑問語が現れることができる場所に制限があり、S の前に決まっているからです。(正確には、S′ の下の CP)

(22)　Ippei knows whether Ichiro praised Shohei.

　　　　'一平は、イチローが翔平をほめたかどうか知っている。'

このことから、もう一度句構造規則を適用し、辞書から名詞 *Ichiro* を選んで、(23) を作ります。

(23)　[s Ichiro [vp praised who]]

さあ、次は、(23) に句構造規則も、変換規則もかかることができます。英語では、疑問語は、目的語の位置にとどまっていると、正しい文になれないため、この辺りで、いったん、変換規則によって、S の前に出してみましょう。

66

(24)　[S' who [S Ichiro [VP praised *t*]]]

(24) では、*who* が目的語の位置から、S′ の下の CP の位置に移動しています。そして、痕跡 *t* を残しています。*who* が *t* の位置から来たことを明示的に示すために、以下では、(25) のように示します。

(25)　[S' who₁ [S Ichiro [VP praised *t*₁]]]

さあ、ここで、句構造規則をさらに使用しますが、上で述べたように、*t*₁ は、句構造規則によって見えているため、もう、そこには、どんな要素も入れ込むことができません。そこで、さらに、辞書から動詞 *knows* を引っ張ってきて、句構造規則によって (26) を作ります。

(26)　[VP knows [S' who₁ [S Ichiro [VP praised *t*₁]]]]

最後に、辞書から名詞 *Ippei* を引っ張ってきて、句構造規則によって (27) を作り、一つの文が完成します。

(27)　[S Ippei [VP knows [S' who₁ [S Ichiro [VP praised *t*₁]]]]]

この方法で、基本的にどんな文も作り出すことができます。
　では、(28) はどうでしょうか?

(28)　Ippei knows who praised Shohei.
　　　'一平は、誰が翔平をほめたか知っている。'

who が埋め込み文の先頭に来ているのは、(27) と同じですが、その *who* は、「誰を」ではなく、「誰が」です。つまり、主語です。となると、まず、最初に、次の構造が作られます。

(29)　[S who [VP praised Shohei]]

この後はどうなるんでしょうか?こんな構造になるでしょうか?

(30)　[$_{VP}$ knows [$_S$ who [$_{VP}$ praised Shohei]]]

一見、これで十分そうです。ところが、ちょっと神経質な方にとっては、何か落ち着かないかもしれません。その理由は、以下です。これまで、以下の例に見られるように、*whether* とか *who* とか、*wh* で始まる語は、いつも C の下に出現していた。

(31)　Ippei knows whether Ichiro praised Shohei.
　　　'一平は、イチローが翔平をほめたかどうか知っている。'

(32)　Ippei knows who Ichiro praised.
　　　'一平は、イチローが誰をほめたか知っている。'

となると、やはり、(28) の *who* も、C の下に現れるのが、一番安定しているのではないか。つまり、(33) のように。

(33)　[$_{VP}$ knows [$_{S'}$ who [$_{VP}$ praised Shohei]]]

しかし、そうなると、(33) には、S がないことになり、そのような句構造規則はないので、この構造は作り出せない。となると、あれか？　そうだ、あれだ。やっぱり、(28) においても、(34) のように、*who* が移動しているんじゃないか。

(34)　[$_{VP}$ knows [$_{S'}$ who$_1$ [$_S$ t_1 [$_{VP}$ praised Shohei]]]]

その後、*Ippei* が足されて、(35) になる。

(35)　[$_S$ Ippei [$_{VP}$ knows [$_{S'}$ who$_1$ [$_S$ t_1 [$_{VP}$ praised Shohei]]]]]

木構造を描くと、以下のようになると。

(36)

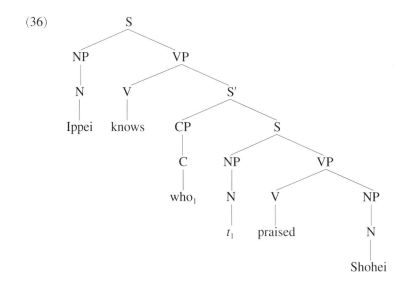

(36) において、*who* の移動が表面的には、移動していないと同じくらい短いですが、本書では、*who* は、目的語でも主語でも、C の位置にあると考えていきたいと思います。

　これまでのところを軽くまとめます。上で見たような装置をもったものは、言ってみれば、人間言語の文法と言うことができます。以下に簡単に、人間言語の文法のモデルをまとめておきます。

(37)　人間言語の文法のモデル

　　a.　辞書 = Lexicon

　　b.　句構造規則 = Phrase Structure Rule

　　c.　変換規則 = Transformational Rule

句構造規則と変換規則には、適用する順番は決まっていません。それぞれが、できるところでするというだけです。とても簡単ですね。

第 8 回　日本語と英語の文の構造

英語の複雑文 3

　さて、次に進む前に、少しだけ、辞書 = Lexicon の性質についてお話ししておきます。上で句構造規則が強すぎる性質を持つことを見ました。そして、その性質を補うために、変換規則が必要であることも見ました。変換規則を想定すると、ある要素が移動すれば、必ずその移動元に痕跡を残すので、その場所には何も要素を入れ込むことができません。ここでは、もう一つ、句構造規則が強すぎる点を見ます。ただし、それは、変換規則によっては補われない性質です。次の例を見てください。

(1) a.　Ippei danced.
　　　　'一平は踊った。'
　　b. *Ippei danced Shohei.
　　　　'*一平は翔平を踊った。'

これらの例における動詞は、自動詞の *dance*「踊る」です。句構造規則 (2) によれば、(1a) と (1b) には、それぞれ、(3) と (4) のような句構造が与えられます。

(2)　句構造規則 (英語)
　　a.　S　　　→　NP VP

b. NP → (DP) $\begin{Bmatrix} (NP) \\ (AP) \end{Bmatrix}$ N

c. VP → V $\begin{Bmatrix} (NP) \\ (S') \end{Bmatrix} \begin{Bmatrix} (NP) \\ (PP) \end{Bmatrix}$ (ADVP)

d. S' → CP S

e. AP → (ADVP) A

f. PP → P NP

g. ADVP → ADV

h. DP → D

i. CP → C

(3)

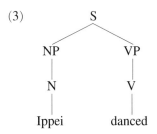

(4)

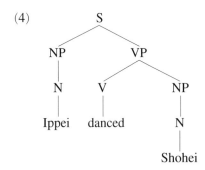

句構造規則は、自動的に (3) も (4) も作り出しますが、(4) は、まった
くおかしな文です。なぜなら、この動詞は、自動詞で、目的語を取ること
ができないからです。しかし、句構造規則は、盲目的に目的語の位置も作
り出すことができます。この問題は、上で見たように、変換規則を持ち出

すことで解決できるでしょうか？　いや、それは全く無理です。(4) には、どこにも移動した形跡がないからです。

　そうすると、(1b) の文が、まったく誤った文であると英語母語話者が判断できているのには、何か別の理由がありそうです。句構造規則は、盲目的に (4) の構造を生み出してしまい、変換規則は、(4) には、適用していないことから、辞書自体に何らかの約束があるようです。化学における化学反応に例えると分かりやすいので、以下のように考えてみましょう。

　動詞は、その目的語の数に応じて、＋ が付いており、自動詞は、目的語を一つも取らないので、＋ がなく、他動詞は、目的語を一つ取るものは、＋ が一つ、目的語を二つ取るものは、＋ が二つと考えてみましょう。例として、以下を見てください。

　(5)　動詞の穴の数

動詞のタイプ	例	＋ の数	必要な目的語の例
自動詞 (目的語 0)	*dance*「踊る」	0	なし
他動詞 (目的語 1)	*buy*「買う」	1	*hot dogs*「ホットドッグ」
他動詞 (目的語 2)	*give*「あげる」	2	*Ippei*「一平」
			hot dogs「ホットドッグ」

まず、目的語を一つ持つ動詞から見てみましょう。*buy*「買う」は、目的語としての名詞が一つ必要な動詞であるので、仮に、次のように表してみます。

　(6)　buy+

そこに、目的語としての名詞 *hot dogs*「ホットドッグ」が現れ、仮に、名詞には、− の性質があるとすれば、(7) のように化学反応を的確に起こし、化合物ができます。

(7)　buy+　　hot dogs –

これで、*buy*「買う」は、一つの必要な要素を得ることができ、同時に、*hot dogs*「ホットドッグ」も自分を必要としてくれる要素（ここでは動詞）に結合することができ、何も過不足ない状態で安定しています。

　続いて、目的語を二つ持つ動詞を見てみましょう。*give*「あげる」は、目的語としての名詞が二つ必要な動詞であるので、仮に、次のように表してみます。

(8)　give2+

そこに、間接目的語としての名詞 *Ippei*「一平」と直接目的語としての名詞 *hot dogs*「ホットドッグ」が現れ、仮に、名詞には、 – の性質があるとすれば、(9) のように化学反応を的確に起こし、化合物ができます。

(9)　give2+　Ippei –

　　　　　　hot dogs –

これで、*give*「あげる」は、二つの必要な要素を得ることができ、同時に、*Ippei*「一平」も *hot dogs*「ホットドッグ」も自分を必要としてくれる要素（ここでは動詞）に結合することができ、何も過不足ない状態で安定しています。(9) が *give Ippei hot dogs* という語順で現れるか、*give hot dogs Ippei* という正しくない語順で現れるかについては、ここでは立ち入らず、興味がある方は、Stowell（1981）や Larson（1988, 1990）を見てみてください。

　では、最後に、目的語を持たない動詞を見てみましょう。*dance*「踊る」は、目的語としての名詞が一つも必要ない動詞であるので、仮に、次のように表してみます。

(10)　dance

そこに、目的語としての名詞 *Shohei*「翔平」が突然現れ、仮に、名詞には、−の性質があるとすれば、＋と−の数が異なるために、(11) のように的確に化学反応を起こすことができません。

　(11)　dance　Shohei −

そうなると、句構造規則で (4) が生み出されたとしても、

　(4)

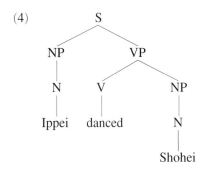

辞書からの情報として、動詞と名詞の＋と−の数もともに表されているとすれば、

　(12)

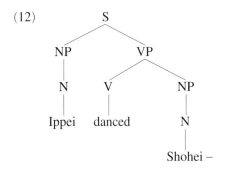

(12) は、化学反応が的確に起こっていない構造であることになり、英語母語話者には、誤った構造であると判断されるのです。
　というわけで、(1b) の例が英語として非文法的であると判断されているのは、辞書の情報が利用されているということになります。

74

　同時に、まったく同じことが、(1b) の日本語の翻訳の例にも当てはまります。日本語においても、(13a) は、完璧な文ですが、(13b) は、まったくの非文です。

(13) a.　一平は踊った。

　　　b. *一平は翔平を踊った。

この場合においても、英語の場合と同じように、辞書の情報が使われ、(13b) が、日本語母語話者にとって、非文と判断されています。これは、動詞の情報に関して、世界の言語は、基本的に同じ情報を共有しているということを意味しています。

　さらに、辞書の情報は、次の例の文法性・非文法性の判断にも力を発揮しています。

(14) a.　Ichiro bought hot dogs.

　　　　'イチローはホットドッグを買った。'

　　　b. *Ichiro bought.

　　　　'*イチローは買った。'

(14a) は、文法的な文ですが、(14b) は、そうではありません。この対比も、辞書の情報から導き出すことができます。まず、(14a) では、動詞 *buy*「買う」は、目的語としての名詞が一つ必要な動詞であるので、上で見たように、(15) のようになります。

(15)　buy+

そこに、目的語としての名詞 *hot dogs*「ホットドッグ」が現れ、名詞には、－の性質があるとすれば、(16) のように化学反応を的確に起こし、化合物ができます。

(16)　buy+　　hot dogs －

これで、*buy*「買う」は、一つの必要な要素を得ることができ、同時に、*hot dogs*「ホットドッグ」も自分を必要としてくれる要素（ここでは動詞）に結合することができ、何も過不足ない状態で安定しています。

　次に、(14b) を考えてみましょう。(14b) でも、動詞 *buy*「買う」は、目的語としての名詞が一つ必要な動詞であるので、上で見たように、(15) のようになります。

(15)　buy+

ところが、ここに、目的語としての名詞が現れないため、(15) は、最終的に、(17) のような状態となり、化学反応が的確に起きません。

(17)　buy+

つまり、(17) では、*buy*「買う」は、一つの必要な要素を得ることができず、不安定な状態のままになっています。これが、(14b) が非文法的である理由です。というわけで、(14b) の例が英語として非文法的であると判断されているのは、辞書の情報が利用されているということになります。

　同時に、まったく同じことが、(14b) の日本語の翻訳の例にも当てはまります。日本語においても、(18a) は、完璧な文ですが、(18b) は、非文です。

(18) a.　イチローはホットドッグを買った。
　　　b. *イチローは買った。

この場合においても、英語の場合と同じように、辞書の情報が使われ、(18b) が、日本語母語話者にとって、非文と判断されています。これは、上で述べたように、動詞の情報に関して、世界の言語は、基本的に同じ情報を共有しているということを意味しています。

　さて、あと三つだけ、英語の句構造規則と変換規則について見ておきます。一つ目は、直接疑問文です。(19) は、埋め込み文に疑問文があるた

76

め、間接疑問文と言い、この文を聞いた人が、答えを言うということはありません。

(19)　[$_S$ Ippei [$_{VP}$ knows [$_{S'}$ who$_1$ [$_S$ Ichiro [$_{VP}$ praised t_1]]]]]

それと異なり、その文を聞いた人が、必ず答えを言うような文を直接疑問文と言います。具体的には、(20) のような例です。

(20)　a.　What did Ichiro buy?
　　　b.　What do you think that Ichiro bought?

直接疑問文の問題点は、*did/do* が句構造上、どこにあるのかということです。(20) の例に見られるように、*did/do* は、CP = *what* の後ろ、そして、主語の NP の前に出現します。ところが、句構造規則 (2) には、*did/do* が現れる位置が示されていません。

(2)　句構造規則 (英語)

　　a.　S　　　→　NP VP

　　b.　NP　　→　(DP) $\left\{ \begin{array}{l} \text{(NP)} \\ \text{(AP)} \end{array} \right\}$ N

　　c.　VP　　→　V $\left\{ \begin{array}{l} \text{(NP)} \\ \text{(S')} \end{array} \right\} \left\{ \begin{array}{l} \text{(NP)} \\ \text{(PP)} \end{array} \right\}$ (ADVP)

　　d.　S'　　　→　CP S

　　e.　AP　　→　(ADVP) A

　　f.　PP　　→　P NP

　　g.　ADVP　→　ADV

　　h.　DP　　→　D

　　i.　CP　　→　C

本書では、これらの位置がよく分からないため、次のように表示するようにします。

(21)　[s' What₁ [s **did** Ichiro buy t₁]]?

(22)

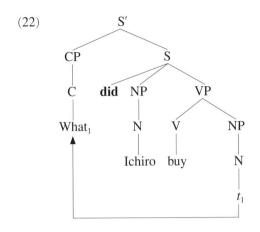

did/do/does を S の内部に置きますが、これによって他の箇所で大きい問題が起きないため、本書では、このような描き方でいきます。

　二つ目は、関係節です。関係節は、付け足し文の一つです。あってもなくてもいい要素だからです。具体的には、（23）のような例です。

(23)　I know the person who Ichiro praised.

（23）では、[the person who Ichiro praised] の中の、[who Ichiro praised] が関係節で、[the person] を修飾しています。ところが、（2）の句構造規則の中には、関係節が現れる規則がないため、（2b）を（24）に修正し、全体を（25）として提示します。

(24)　NP　→　(DP) $\begin{Bmatrix} (NP) \\ (AP) \end{Bmatrix}$ N **(S′)**

(25)　句構造規則（英語）

　　a.　S　　　→　NP VP

　　b.　NP　　→　(DP) $\begin{Bmatrix} (NP) \\ (AP) \end{Bmatrix}$ N (S′)

c. VP → V $\left\{\begin{array}{l}\text{(NP)}\\\text{(S')}\end{array}\right\}$ $\left\{\begin{array}{l}\text{(NP)}\\\text{(PP)}\end{array}\right\}$ (ADVP)

d. S' → CP S

e. AP → (ADVP) A

f. PP → P NP

g. ADVP → ADV

h. DP → D

i. CP → C

驚くかもしれませんが、英語の関係節は、実は、英語の間接疑問文とまったく同じ構造をしています。(26) を順番に作ってみましょう。

(26) I know the person who Ichiro praised.

まず、句構造規則によって、(27) を作ります。関係代名詞は、まるで、疑問語と同じです。

(27) [$_{VP}$ praised who]

続いて、もう一度句構造規則を適用し、(28) を作ります。

(28) [$_S$ Ichiro [$_{VP}$ praised who]]

次に、変換規則を適用して、(29) を作ります。

(29) [$_{S'}$ who$_1$ [$_S$ Ichiro [$_{VP}$ praised t_1]]]

続いて、句構造規則によって (30) を作ります。

(30) [$_{NP}$ the person [$_{S'}$ who$_1$ [$_S$ Ichiro [$_{VP}$ praised t_1]]]]

(30) は、本書では、以下のような構造であると仮定していきます。

(31)

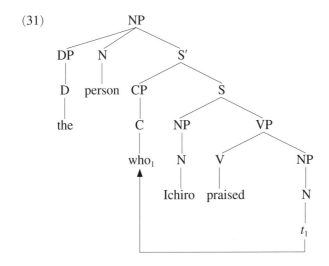

続いて、句構造規則によって (32) を作ります。

(32) [$_{VP}$ know [$_{NP}$ the person [$_{S'}$ who$_1$ [$_S$ Ichiro [$_{VP}$ praised t_1]]]]]

最後に、句構造規則によって、(33) を作ります。

(33) [$_S$ I [$_{VP}$ know [$_{NP}$ the person [$_{S'}$ who$_1$ [$_S$ Ichiro [$_{VP}$ praised t_1]]]]]]

続いて、これはどうでしょうか?

(34) I know the person who praised Shohei.

関係節の主語が *who* になっているケースです。間接疑問文のところで見ましたね。同じことが起きています。

(35) [$_S$ I [$_{VP}$ know [$_{NP}$ the person [$_{S'}$ who$_1$ [$_S$ t_1 [$_{VP}$ praised Shohei]]]]]]

つまり、関係節内で、極めて短い移動が起きているのです。関連する木構造は、(36) です。

8o

(36)

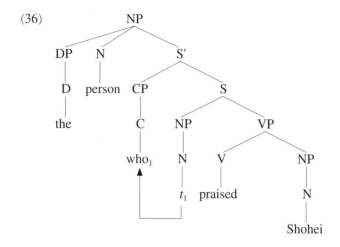

　三つ目は、関係節以外の付け足し文についてです。具体的には、(37)の例における [...] の部分です。

(37) a.　Shohei left [because it rained].
　　　　'雨が降ったので、翔平は帰った。'
　　 b.　[Because it rained], Shohei left.
　　　　'雨が降ったので、翔平は帰った。'

付け足し文 [because it rained] は、S = [Shohei left] 全体を修飾しているか、あるいは、VP = [left] だけを修飾しているか明確ではありません。可能な構造は、以下のようになります。付け足し文を S′ で示します。

(38)

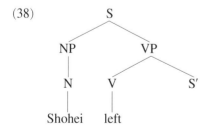

(39)

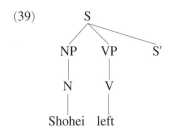

(40)

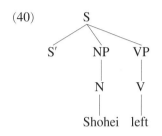

(38) では、付け足し文 S′ は、VP を修飾し、(39) では、S 全体を右側から修飾し、そして、(40) では、S 全体を左側から修飾しています。付け足し文は、副詞句の大型版であるので、副詞句も同様の場所に現れることができます。

(41)　Shohei left yesterday.
　　　‘翔平は、昨日帰った。’

(42)　Shohei left, unfortunately.
　　　‘残念ながら、翔平は帰った。’

(44)　Clearly, Shohei left.
　　　‘明らかに、翔平は帰った。’

(41) では、*yesterday* が VP を修飾し、(42) では、*unfortunately* が S 全体を右側から修飾し、そして、(43) では、*clearly* が S 全体を左側から修飾しています。

　そうすると、英語の句構造規則全体に、ADVP と付け足し文の S′ をさ

らに足すことになります。本書では、句構造規則自体をあまりに複雑にして見にくくなることを避けるけるために、句構造規則自体は、(25) 程度にとどめ、必要がある場合は、可能な句構造上の場所に ADVP と付け足し文の S′ を置くことにします。

(25)　句構造規則（英語）

a.　S　　　→　NP VP

b.　NP　　→　(DP) $\left\{ \begin{array}{l} \text{(NP)} \\ \text{(AP)} \end{array} \right\}$ N (S′)

c.　VP　　→　V $\left\{ \begin{array}{l} \text{(NP)} \\ \text{(S′)} \end{array} \right\}$ $\left\{ \begin{array}{l} \text{(NP)} \\ \text{(PP)} \end{array} \right\}$ (ADVP)

d.　S′　　→　CP S

e.　AP　　→　(ADVP) A

f.　PP　　→　P NP

g.　ADVP　→　ADV

h.　DP　　→　D

i.　CP　　→　C

宿題 3 回目

以下の各文に対して、木構造を描いてください。その際、以下の句構造規
則を利用してください。エクセルで木構造を描くことをお勧めします。

句構造規則（英語）

a.　S　　　→　NP VP

b.　NP　　→　(DP) {(NP) / (AP)} N (S′)

c.　VP　　→　V (NP) {(NP) / (PP)} (PP) (PP) (ADVP)

c.　VP　　→　V {(NP) / (S′)} {(NP) / (PP)} (ADVP)

d.　S′　　　→　CP S

e.　PP　　→　P NP

f.　AP　　→　(ADVP) A

g.　ADVP　→　ADV

h.　DP　　→　D

i.　CP　　→　C

例　Shohei came.

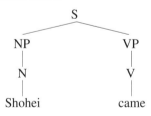

注意：last winter や two days ago は、一かたまりの副詞であると考え、
ADV の下に置きます。

1　Ichiro thinks that Shohei returned to Japan yesterday.

2　Yoshida says that Ichiro went to Seattle last year.

3　Ippei believes that Shohei came from Iwate with Kikuchi.

4 Senga assumes that Kikuchi loves sushi.

5 Yoshida claims that Shohei met Ichiro in Arizona two weeks ago.

6 Kenta's friend said that Kikuchi bought hot dogs.

7 Seiya reports that Kikuchi played soccer in Hiroshima last night.

8 Ippei suspects that Fujinami gave oranges to Darvish.

9 Senga knows whether Kikuchi gave Yoshida short bananas three days ago.

10 Ippei wonders if Seiya sent CDs to his brother.

11 Kenta met the man who Shohei liked.

12 The man who Shinjo liked came to Tokyo last month.

13 Ippei likes the song which Shohei composed.

14 The woman who saw the dogs gave Darvish her car.

15 Seiya found the place which Fujinami visited.

16 Ippei met the man who graduated from the university.

17 This is the juice which Ichiro made in his house.

18 This is the man who Yoshida went to Boston with by bus.

19 Ippei forgot who Ichiro praised.

20 Senga examined who bought the camera.

21 Ippei wonders who won the race last week.

22 Fujinami remembers what Shohei said that Kikuchi ate.

23 Darvish knows who Yoshida believes that Ichiro played baseball with.

24 Ippei investigated who saw the lady who liked the movie.

第⑨回　日本語と英語の文の構造

日本語の複雑文 1

ここまで、英語の句構造規則を詳しく見てきました。

(1)　句構造規則（英語）

    a.　S　　　→　NP VP

    b.　NP　　→　(DP) $\begin{Bmatrix} (NP) \\ (AP) \end{Bmatrix}$ N (S′)

    c.　VP　　→　V $\begin{Bmatrix} (NP) \\ (S′) \end{Bmatrix}$ $\begin{Bmatrix} (NP) \\ (PP) \end{Bmatrix}$ (ADVP)

    d.　S′　　→　CP S

    e.　AP　　→　(ADVP) A

    f.　PP　　→　P NP

    g.　ADVP　→　ADV

    h.　DP　　→　D

    i.　CP　　→　C

ここで、もう一度日本語の句構造規則に戻ります。これまでにたどり着いた句構造規則は、以下です。

85

(2)　句構造規則（日本語）

a.　NP　　　→ $\left\{ \begin{array}{c} (NP) \\ (AP) \end{array} \right\}$ N

b.　AP　　　→　（ADVP）A

c.　PP　　　→　NP P

d.　VP　　　→ $\left\{ \begin{array}{c} (PP) \\ (ADVP) \end{array} \right\} \left\{ \begin{array}{c} (NP) \\ (PP) \end{array} \right\}$ (NP) V

e.　ADVP　　→　ADV

f.　S　　　　→　NP VP

英語の例で既に見たように、これだけでは、埋め込み文と関係節などの付け足し文を作り出すことができません。以下では、そのような文を作り出す句構造規則を考えていきます。

　まず、埋め込み文の例を見てみましょう。

　(3)　一平は、イチローが翔平をほめたと思った。

(3) の文は、(4) の部分が、埋め込み文になっています。

　(4)　イチローが翔平をほめたと

さて、この部分は、これまでたどり着いてきた句構造規則 (2) では、作り上げることができません。その理由は、(4) の文末の「と」です。この語は、上でみたように、英語の Complementize（Comp＝C）の *that* に対応します。そこで、この C を句構造規則に導入すると、(2) 全体にもう二つ句構造規則を足さなければなりません。簡単なのは、(5) です。投射の規則によって、C があれば、必ず、CP があるからです。

　(5)　CP　→　C

もう一つは、CP がいつも S の後ろにいるということを示す必要がありま

す。ところが、S 自体は、前にも見たように、何かの投射になっていない
ちょっとした例外的なものでした。この S の右側に CP がくっつくわけ
ですが、S 自体が何者かよく分からないので、普通の投射規則に従って考
えにくいため、次のような句構造規則を想定します。

(6)　S′　→　S CP

つまり、(6) において、文＝S に「と」が付くことで、その S 自体が、少
し大きくなっているということを示すために、S′ という記号を使います。
これらの新たに設定された句構造規則を足すと、以下のようになります。

(7)　句構造規則（日本語）

a.　NP　　→　$\left\{\begin{array}{c}(NP)\\(AP)\end{array}\right\}$ N

b.　AP　　→　(ADVP) A

c.　PP　　→　NP P

d.　VP　　→　$\left\{\begin{array}{c}(PP)\\(ADVP)\end{array}\right\}$ $\left\{\begin{array}{c}(NP)\\(PP)\end{array}\right\}$ (NP) V

e.　ADVP　→　ADV

f.　S　　　→　NP VP

g.　**CP**　　→　**C**

h.　**S′**　　→　**S CP**

そして、このままでは、埋め込み文だけは単独で作り上げることができま
すが、主文の中に、本当に埋め込むということができません。それで、
(7d) の句構造規則を、少し修正する必要があります。

(7) d.　VP　→　$\left\{\begin{matrix} (PP) \\ (ADVP) \end{matrix}\right\}$ $\left\{\begin{matrix} (NP) \\ (PP) \end{matrix}\right\}$ (NP) V

埋め込み文は、言ってみれば、主文の V の目的語、あるいは、目的文で
あるので、目的語の位置に出現できるように、(8) のように修正します。

(8)　VP　→　$\left\{\begin{matrix} (PP) \\ (ADVP) \end{matrix}\right\}$ $\left\{\begin{matrix} (NP) \\ (PP) \end{matrix}\right\}$ $\left\{\begin{matrix} (NP) \\ \mathbf{(S')} \end{matrix}\right\}$ V

では、この修正された句構造規則を (7) に足すと、以下のようになりま
す。文を作ることを考え、句構造規則の順番を少し変えます。

(9)　句構造規則（日本語）

    a.　S　　→　NP VP

    b.　NP　→　$\left\{\begin{matrix} (NP) \\ (AP) \end{matrix}\right\}$ N

    c.　VP　→　$\left\{\begin{matrix} (PP) \\ (ADVP) \end{matrix}\right\}$ $\left\{\begin{matrix} (NP) \\ (PP) \end{matrix}\right\}$ $\left\{\begin{matrix} (NP) \\ (S') \end{matrix}\right\}$ V

    d.　S′　　→　S CP

    e.　AP　→　(ADVP) A

    f.　PP　　→　NP P

    g.　ADVP →　ADV

    h.　CP　　→　C

　では、これらの句構造規則を用いて、本当に (3) の例が作り出せるか
見てみましょう。

　(3)　一平は、イチローが翔平をほめたと思った。

まず、(9a) を使って、S を NP と VP に分けます。続いて、(9c) を使っ
て、VP を S′ と V に分けます。次に、(9d) を使って、S′ を S と CP に

分けます。そして、再度、(9a) を使って、S を NP と VP に分けます。続いて、(9c) を使って、VP を NP と V に分けます。最後に、(9b) と(9h) を使って、NP を N に、また、CP を C にします。そして、各範疇の下に、語を置いていきます。そうすると、(3) は、(10) のような構造を持つことが分かってきます。

(10)

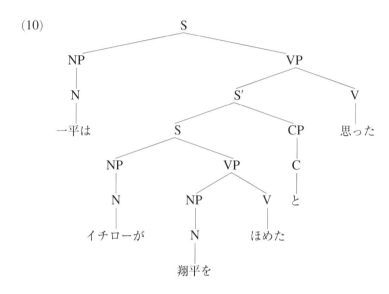

　(3) の埋め込み文は、平叙文、つまり、疑問文ではありませんが、「と」を「かどうか」に変え、それに対応する動詞を用意すれば、埋め込み文に間接疑問文を持つこともできます。

　(11)　一平は、イチローが翔平をほめたかどうか知っている。

(11) の構造も、(10) とまったく同じです。

(12)

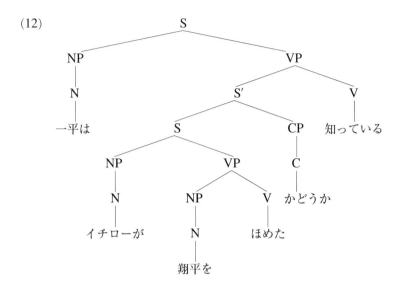

さらに、目的語を二つ取る動詞と副詞も含まれる文を見てみましょう。

(13)　イチローは、翔平が昨日一平にホットドッグをあげたと思ってい
　　　る。

この場合も、(9) の句構造規則を使えば、正確に、(13) の文を作り出す
ことができます。

(14)

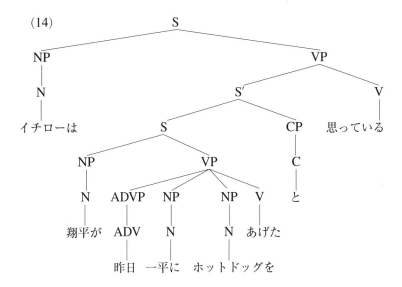

　次に、関係節を見てみましょう。関係節は、付け足し文の一つです。あってもなくてもいい要素です。具体的には、(15) のような例です。

　(15)　一平は、イチローがほめた人を知っている。

(15) では、「イチローがほめた」が関係節で、「人」を修飾しています。ところが、(9) の句構造規則の中には、関係節が現れる規則がないため、(9b) を (16) に修正し、全体を (17) として提示します。注意してほしいのは、日本語の関係節は、英語と違って、*who/which/that* などの関係代名詞が存在しないことです。ですから、日本語の関係節は、S′ ではなくて、S と考えてよさそうです。

(16)

$$\text{NP} \rightarrow \begin{Bmatrix} \text{(NP)} \\ \text{(AP)} \\ \text{(S)} \end{Bmatrix} \text{N}$$

(17)　句構造規則（日本語）

 a. S → NP VP

 b.

  NP → $\left\{\begin{matrix}\text{(NP)}\\\text{(AP)}\\\text{(S)}\end{matrix}\right\}$ N

 c. VP → $\left\{\begin{matrix}\text{(PP)}\\\text{(ADVP)}\end{matrix}\right\}\left\{\begin{matrix}\text{(NP)}\\\text{(PP)}\end{matrix}\right\}\left\{\begin{matrix}\text{(NP)}\\\text{(S′)}\end{matrix}\right\}$ V

 d. S′ → S CP

 e. AP → (ADVP) A

 f. PP → NP P

 g. ADVP → ADV

 h. CP → C

この句構造規則を使って、(15) を作ってみましょう。

(15)　一平は、イチローがほめた人を知っている。

まず、(17a) を使って、S を NP と VP に分けます。続いて、(17c) を使って、VP を NP と V に分けます。次に、(17b) を使って、NP を S と N に分けます。そして、再度、(17a) を使って、S を NP と VP に分けます。続いて、(17c) を使って、VP を NP と V に分けます。最後に、(17b) と (17c) を使って、NP を N に、また、VP を V にします。そして、各範疇の下に、語を置いていきます。そうすると、(15) は、(18) のような構造を持つことが分かってきます。

(18)

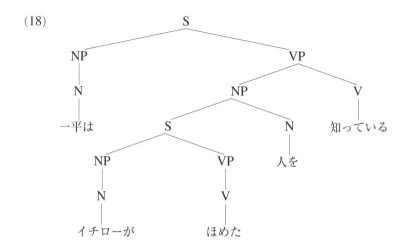

　一見したところ、句構造規則（17）によって、正確に（18）の構造を作り出すことができました。

　では、似たような文も作り出すことができるかどうか見てみましょう。（19）の例です。

　（19）　一平は、翔平をほめた人を知っている。

（19）では、「翔平をほめた」が関係節で、「人」を修飾しています。では、（17）の句構造規則を使って、（19）を作ってみましょう。まず、（17a）を使って、S を NP と VP に分けます。続いて、（17c）を使って、VP を NP と V に分けます。次に、（17b）を使って、NP を S と N に分けます。そして、再度、（17a）を使って、S を NP と VP に分けます。続いて、（17c）を使って、VP を NP と V に分けます。最後に、（17b）と（17c）を使って、NP を N に、また、VP を V にします。そして、各範疇の下に、語を置いていきます。そうすると、（19）は、（20）のような構造を持つことが分かってきます。

94

(20)

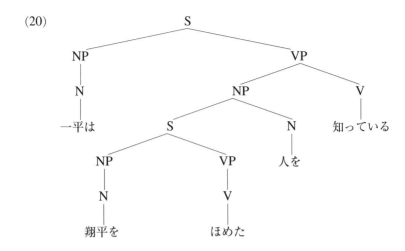

ところが、(20)を見ると、なんだかおかしなことが起きていることが分かります。動詞「ほめた」は、他動詞であるので、必ず目的語が必要です。そうすると、「翔平を」は、実は、主語の位置にあってはおかしく、目的語の位置になければなりません。そうすると、(20)は、実は、(21)のようになっていなくてはなりません。

(21)

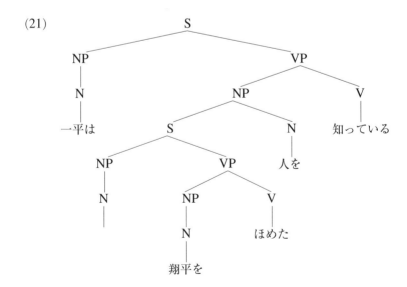

第10回　日本語と英語の文の構造

日本語の複雑文 2

　あれあれ、(1) は、(2) で見るように、また何かおかしなことが起きています。

　(1)　一平は、翔平をほめた人を知っている。

　(2)

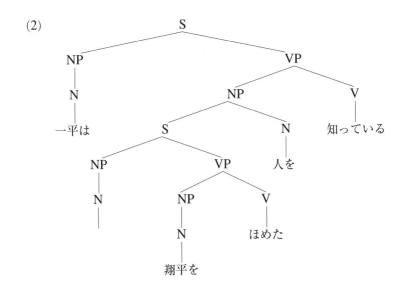

関係節の主語の部分が空になっています。空の場所を、句構造規則でわざわざ作るのは、とても奇妙です。でも、何かこれ、前に見たことと似てい

ませんか？　空の場所が、わざわざ出てくる例は、実は、英語の例で何回
も見ました。まずは、(3) の *want* と *to* を使った英語の直接疑問文の例。

(3)　Who do you want *t* to succeed

'誰に成功して欲しいの？'

次は、(4) の英語の間接疑問文の例。

(4)　[$_S$ Ippei [$_{VP}$ knows [$_{S'}$ who$_1$ [$_S$ Ichiro [$_{VP}$ praised t_1]]]]]

そして、(5) と (6) の英語の関係節の例。

(5)　[$_{NP}$ the person [$_{S'}$ who$_1$ [$_S$ Ichiro [$_{VP}$ praised t_1]]]]

(6)

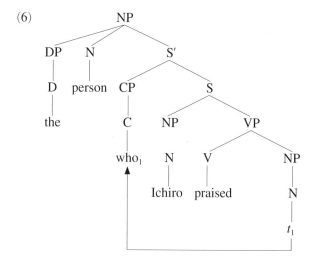

これらは、文のどこかに穴が空いています。句構造規則によって、最初に
穴が空いている場所に、何か要素を入れておいて、その後、変換規則に
よってその要素の場所が変わったため、結果的に穴が空くことになったの
です。

　うん？　そうなると、(2) の木構造の中に穴が空いているというのは、
ひょっとして、日本語にも、英語と同じように、変換規則が存在している
ことを意味しているんじゃないでしょうか？　本書では、便宜上そう考え
て話を進めていきます。言語学者によっては、考え方が異なりますが、本
書では、分かりやすさを最優先して、そのように想定していきます。これ
について気になる方は、Kuno (1973)、Murasugi (1991)、Kayne (1994)
を参考にしてください。
　そうなると、(2) では、実際は、(7) に示すように、「人」が、もとも
とは、関係節の主語の位置に、句構造規則によって置かれて、その後、変
換規則によって、N の位置に移動したと考えることができます。そして、
変換規則によって場所が変わったので、そのもともとの場所には、痕跡 =
t が残っていることになります。

(7)

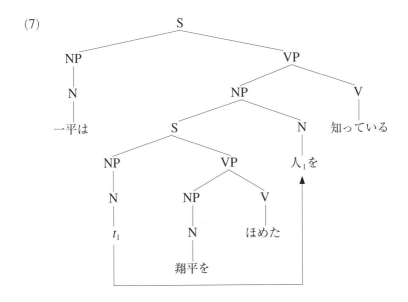

　同じように、(8) では、実際は、(9) に示すように、「人」が、もとも
とは、関係節の目的語の位置に、句構造規則によって置かれて、その後、
変換規則によって、N の位置に移動したと考えることができます。

98

(8)　一平は、イチローがほめた人を知っている。

(9)

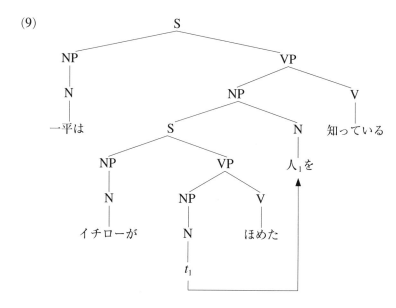

　そして、変換規則によって場所が変わったので、そのもともとの場所には、痕跡 = t が残っていることになります。ここで面白いのは、英語の関係節が左方向への移動を含んでいるのに対し、日本語の関係節は、右方向への移動を含んでいるという点です。やはり、線対称になっています。

　次に行く前に、すべての話の元となった次の例を見ておきましょう。

(10)　翔平は、球場で赤いホットドッグを食べている子供を見つけた。

(10) は、(11) と (12) の二つ意味があります。

(11)　翔平が食事中の子供を見つけた。翔平が見つけた場所は、球場だ。

(12)　翔平が食事中の子供を見つけた。子供が食べている場所は、球場だ。

では、これらの意味に対応する構造を考えてみましょう。まずは、(11)
から。(11) は、簡単に言えば、(13) です。

(13)　翔平が　球場で　子供を　見つけた。

これを示す構造は、(14) です。

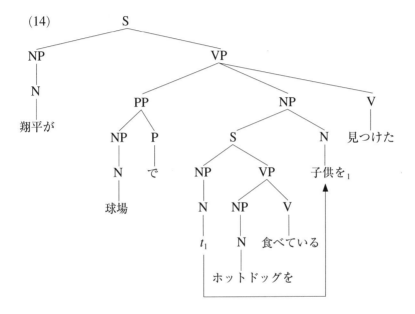

(14) では、PP「球場で」が、V「見つけた」が投射している VP の内部に
あります。では、(12) はどうでしょうか?　(12) の重要部分は、簡単に
言えば、(15) です。

(15)　子供が　球場で　ホットドッグを　食べている。

これを示す構造は、(16) です。

(16)

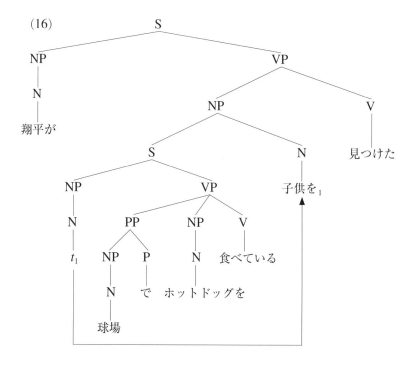

(16) では、PP「球場で」が、V「食べている」が投射している VP の内部
にあります。これでようやくすっきりしました。

　次に、日本語の疑問文を見てみます。

（17）　イチローは、何を買いましたか？

（18）　イチローは、何を買ったの？

日本語の疑問文は、文の最後に、疑問詞の「か」、あるいは、「の」が足さ
れるだけなので、本書では、それらを「と」と同じように、補文化標識と
みなし、C の下に入れると仮定します。すると、(17) と (18) の文の構
造は、(19) と (20) のようなになります。

(19)

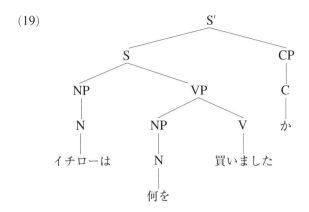

(20)

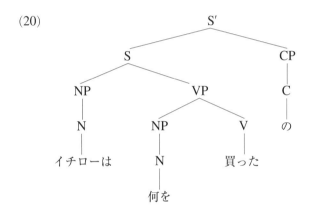

(21) のような間接疑問文も、同様に、(22) のような構造になります。

(21)　一平は、イチローが何を買ったか知っている。

(22)

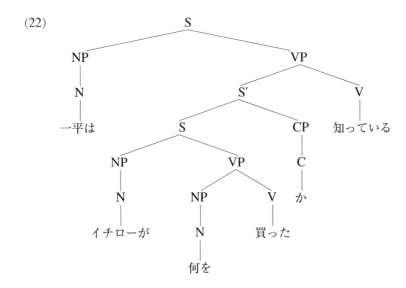

さらに、(23) のような埋め込み文をもつ疑問文は、(24) のような構造に
なります。

(23)　一平は、イチローが何を買ったと思ってるの？

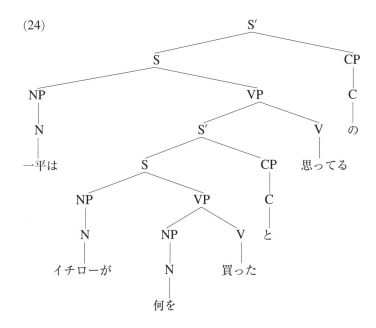

（24）

ただし、Tonoike（1992）のように、古語の疑問文を考えると、もともと、疑問詞の「か」は、「何」や「誰」といった疑問語の隣にいたのではないかと考える言語学者もいます。

（25）　何を**か**山といはむ。

　　　'何を山と言うだろうか？'（宇津保物語）

（25）では、疑問詞「か」が疑問語「何を」の右隣りにいます。Tonoike（1992）は、古語では、「か」は、その場所にいたが、現代日本語では、その場所から、文末に、移動したと主張しています。そうすると、（17）の文は、実は、移動が含まれていることになります。

（17）　イチローは、何を買いましたか？

(26)

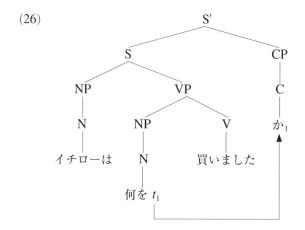

本書では、この考え方は、基本的にありうるものだと想定しますが、実際に木構造を描く場合には、より簡単に考え、(27) のように、C の下にそのまま「か」を置くことにします。

(27)

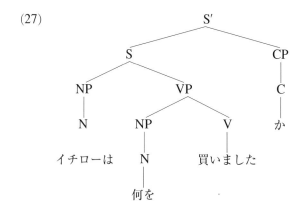

最後に、関係節以外の付け足し文について見てみましょう。そのような付け足し文は、具体的には、(28) の例における [...] の部分です。

(28) a. 翔平は、[雨が降ったので]、帰った。

 b. [雨が降ったので]、翔平は帰った。

付け足し文 [雨が降ったので] は、(28a) のように、VP = [帰った] だけを

修飾しているか、(28b) のように、S＝[翔平は帰った] 全体を修飾してい
ます。それぞれの構造は、以下のようになります。付け足し文を S′ で示
します。

(29)

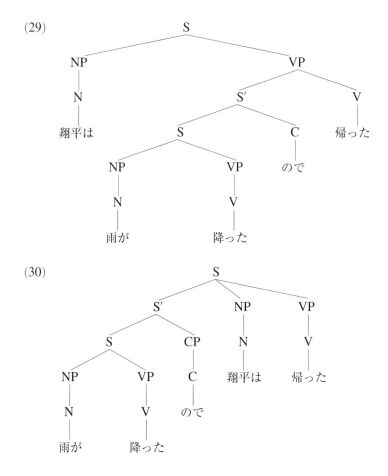

(30)

(29) では、付け足し文 S′ は、VP 全体を左側から修飾し、(30) では、
付け足し文 S′ は、S 全体を左側から修飾しています。付け足し文は、副
詞句の大型版であるので、副詞句も同様の場所に現れることができます。

(31)　翔平は、昨日帰った。

(32)　残念ながら、翔平は帰った。

(31) では、「昨日」が VP を修飾し、(32) では、「残念ながら」が S 全体を修飾しています。

　そうすると、英語の場合と同じように、日本語の句構造規則全体に、ADVP と付け足し文の S′ をさらに足すことになります。本書では、句構造規則自体をあまりに複雑にして見にくくなることを避けるけるために、句構造規則自体は、(33) 程度にとどめ、必要がある場合は、可能な句構造上の場所に ADVP と付け足し文の S′ を置くことにします。

(33)　句構造規則（日本語）

a.　S　　　→　NP VP

b.
NP　　→　$\begin{Bmatrix} (NP) \\ (AP) \\ (S) \end{Bmatrix}$ N

c.　VP　　→　$\begin{Bmatrix} (PP) \\ (ADVP) \end{Bmatrix} \begin{Bmatrix} (NP) \\ (PP) \end{Bmatrix} \begin{Bmatrix} (NP) \\ (S′) \end{Bmatrix}$ V

d.　S′　　→　S CP

e.　AP　　→　(ADVP) A

f.　PP　　→　NP P

g.　ADVP　→　ADV

h.　CP　　→　C

宿題 4 回目

以下の各文に対して、木構造を描いてください。その際、以下の句構造規
則を利用してください。エクセルで木構造を描くことをお勧めします。

句構造規則（日本語）

a. S → NP VP

b.
NP → $\begin{Bmatrix} (NP) \\ (AP) \\ (S) \end{Bmatrix}$ N

c. VP → $\begin{Bmatrix} (PP) \\ (ADVP) \end{Bmatrix} \begin{Bmatrix} (NP) \\ (PP) \end{Bmatrix} \begin{Bmatrix} (NP) \\ (S') \end{Bmatrix}$ V

d. S' → S CP

e. AP → (ADVP) A

f. PP → NP P

g. ADVP → ADV

h. CP → C

例　翔平が来た。

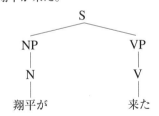

1　吉田は、翔平が岩手に行ったと思っている。
2　藤浪は、吉田がおとといボストンに戻ったとつぶやいた。
3　イチローは、翔平が健太とホットドッグを食べたと言った。
4　イチローは、健太がミネソタで吉田を見たと主張した。
5　藤浪は、翔平が時計を買ったかどうか知っている。
6　翔平の弟は、菊池が昨日千賀と島根に帰ったとささやいた。
7　ダルビッシュは、監督の子供が今年大学を卒業したと思った。
8　誠也は、一平が 10 年前中国を訪れたと信じている。

108

9　ダルビッシュは、吉田が北海道で誠也にかにをあげたかどうか覚えていた。

10　健太は、自分の弟がスウェーデンでオーロラを見たかどうか知っていた。

11　誠也は、新庄が読んでいる本を読んでいる。

12　高倉健の映画を見た人が、トイレで泣いていた。

13　新庄を見つめた人が、しあわせをつかんだ。

14　一平に白い猫をくれた人が、翔平に黒い犬をあげた。

15　一平を見た人が、翔平をほめた。

16　私は、他人を批判する人を批判する。

17　小説を書いている人が、生協で鉛筆を購入した。

18　一平がほめた人が、翔平をほめた人にダルビッシュが作った野菜をあげた。

19　あなたは、なぜ宿題を忘れたの？

20　あなたは、いつ誰に何を送ったの？

21　新庄は、誰がピアノを演奏したか知っている。

22　あなたは、藤浪がDCで何を買ったと思いましたか？

23　あなたは、翔平が、一平が清水寺で誰を見たと言ったと思いますか？

24　誰が、一平が、翔平が書いた本を買ったと言いましたか？

コラム2　進行形の問題

　(1) のような進行形を含む文は、これまで与えられた句構造規則 (2) で、その構造が描けるでしょうか？

(1)　She was eating pizza.

(2)　句構造規則 (英語)
　　a.　S　　　→　NP VP
　　b.　NP　　→　(DP) $\left\{\begin{array}{c}(NP)\\(AP)\end{array}\right\}$ N
　　c.　VP　　→　V $\left\{\begin{array}{c}(NP)\\(AP)\end{array}\right\}\left\{\begin{array}{c}(NP)\\(PP)\end{array}\right\}$ (ADVP)
　　d.　PP　　→　P NP
　　e.　AP　　→　(ADVP) A
　　f.　ADVP　→　ADV
　　g.　DP　　→　D

(1) には、動詞 *was* と動詞のような *eating* があり、(2c) を見ても、一つの VP の中に、V が二つ入っていないため、どうやっても、(1) の構造を描くことができません。実際、最もたくさん、動詞のような要素を入れようと思うと、以下の例のように、五つも入ります。

(3)　He could₁ have₂ been₃ being₄ praised₅.
　　　'彼は、ほめられていたかもしれない。'

そうなると、句構造規則 (2c) は、実際には、もっと複雑であるということになります。ここでは、(2c) をこれ以上改訂しません。代わりに、Chomsky (1957) が提案した規則をもっとも簡単に提示したいと思います。
　Chomsky (1957) は、動詞・動詞のような要素、それらを以下で、まとめて、動詞要素と呼びますが、次の順番に並んでいると考えました。(4) の主観とは、*can/may/must/should/will* のような、話し手の気持ちを表す要素です。

(4)　動詞要素の配列
　　　時制　　主観　　完了　　進行　　受動　　動詞

実際には、(3) のような例における動詞要素の配列と、(4) の配列は、なんだかぴったり合っていないようです。例えば、(3) の最初の動詞要素は、*could* で、(4) の最初の動詞要素は、時制だからです。Chomsky (1957, p. 39) は、(4) の各要素は、あるものは、実は、一つの要素からできているのではなく、二つの要素からできていると主張しました。(5) です。

(5) 各動詞要素の中身

時制	主観	完了	進行	受動	動詞
-ed	can	(have -en)	(be -ing)	(be -en)	praise

初めて (5) を見れば、いったい何が言いたいのか、さっぱり分からないかもしれません。完了は、(have -en) の2要素からできていると言っているし、進行は、(be -ing) の2要素からできていると言っているのです。これまで、英語を習ってきて、一つの単語が、こんな形で二つの要素からできているなんて聞いたことがありません。ただ、完了形は、形の上では、動詞は、*eat-ate-eaten* のように、動詞に *-en* が付くということは理解できるし、また、進行形も、形の上では、*eating* のように、動詞に *-ing* が付くということも理解できますが。

さあ、ここからが、たまげるところです。Chomsky (1957, p. 39) は、英語においては、次のような右方向への移動、それを接辞移動 (Affix Hopping) と呼びますが、そのような移動が、順繰り順繰り起きていると提案しました。

(6) 接辞移動 (Affix Hopping)

時制	主観	完了	進行	受動	動詞
-ed	can	(have -en)	(be -ing)	(be -en)	praise

(6) では、先頭にあった時制要素 *-ed* が、右隣りの主観要素 *can* にくっつき、次の完了要素の右側の部分 *-en* が、進行要素の左側の部分 *be* にくっついています。その結果、*-ed* + *can* が *could* に、*be* + *en* が *been* になるというわけです。その様子は、以下に示されます。

(7)　接辞移動（Affix Hopping）の結果

時制	主観	完了	進行	受動	動詞
-ed	can	(have -en)	(be -ing)	(be -en)	praise
	can-ed	have	be-en	be-ing	praise-en
	could	have	been	being	praised

この右方向への順繰りの移動、これは、まさに、変換規則の一つの例です。誰もこんなことを考え付きません。英語においては、順繰り右移動が起きているなんて。しかし、英語の動詞要素の配列に関して、これ以外の合理的な説明は、簡単には見つけることができないでしょう。私は、1991年秋学期に、Chomsky（1957）から始まる Howard Lasnik（敬称略）の授業を受け、宿題が出るたびに、同級生の Roger Martin に接辞移動していました。

第11回　未知の言語への挑戦

韓国語とスウェーデン語

　これまで、日本語と英語の基本的構造について見てきました。ともに、句構造規則と変換規則、そして、辞書の情報によって作り出されることが分かりました。Tomlin（1986）によれば、世界の言語の語順は、約45％がSOV（日本語タイプ）、約45％がSVO（英語タイプ）、残りがVが先頭に来る言語です。そうなると、日本語と英語の句構造規則を理解していれば、世界のほぼ90％の言語の基本構造が理解できることになります。これから数回で、本当にそのようなことが可能なのかどうか見ていきます。そのために、大学において一般的にあまり習わない言語も視野に入れながら、その言語の構造とそれを作り出す句構造規則について考えていこうと思います。以下では、SOV言語の例として、韓国語、モンゴル語、ビジ語を、また、SVO言語の例として、スウェーデン語、フランス語、中国語を見ていきます。（ただし、中国語は、SVO言語であるにもかかわらず、日本語と類似した性質を持っていることも見ます。ビジ語は、実際のデータを見るまで、お楽しみに。）スウェーデン語やモンゴル語は、なかなか普通の環境では学ぶ機会がありませんが、それでも、これまでのことを理解していれば、普通にその言語の構造が理解できます。

　以下では、各言語に特有の助詞などがあるので、次のような記号を用います。

(1)　記号と意味

記号	意味
Acc	対格 (accusative case)
Antip	逆受動 (anti-passive)
Com	共格 (commitative case)
Dat	与格 (dative case)
Gen	属格 (genitive case)
Loc	位格 (locative case)
Nom	主格 (nominative case)
Perf	完了 (perfect)
Nmlz	名詞化要素 (nominalizer)
Pfx	接頭辞 (prefix)
Prog	進行 (progressive)
Pst	過去 (past)
Q	疑問詞 (question particle)
Top	話題標識 (topic marker)

(1) の中の Antip（逆受動）は、ビジ語に頻繁に現れます。数行で説明できないため、混乱を減らすために、動詞の一部であると考え、その文の構造を考えていきたいと思います。

　まずは、韓国語から始めましょう。韓国語も日本語も、そのルーツははっきりしないとされています。それはともかく、韓国語と日本語が構造上どれくらい似ているかを知るのは、楽しみです。

　私と韓国・韓国語との出会いについて少し触れておきたいと思います。学生の頃、1980 年代の終わり、友人がいきなり大量の手紙

韓国（著者撮影）

をもってきました。文通相手募集という雑誌のコーナーに名前と住所を載せたら、こんなに韓国から手紙が来たとのこと。それで、こんなに書けないので、一人、お願いできないかという依頼でした。それで、渡された一通の手紙の差出人に、日本語で手紙を書きました。数週間後、韓国から手紙がやってきました。仙女（Seon-Nyeo）という方でした。大学で日本語を専攻しており、完璧な日本語でした。そして、1996 年に韓国に行く用事があり、そこで初めて仙女さんと会いました。その後も何回か会い、ソウルの街を気楽に歩けるようになりました。パピンスを食べ、ナンタを楽しみ、慶州に KTX を使って行けるようになりました。

　それでは、韓国語の文を見てみましょう。以下では、未知の言語の発音を、なるべく実際の発音と近いカタカナとローマ字で示します。もちろん、カタカナやローマ字では、忠実にその言語の音声を表すことは難しいので、だいたいこのような音に聞こえると考えていただければと思います。まずは、埋め込み文を含む文。

(2) 　나는　　　민지가　　　도쿄에서　　　　현수를　　　　보았다
　　　ナヌン　ミンジガ　トウキョウエソ　ヒョンスルル　ボアッタ
　　　Na-nun　Minji-ka　Tokyo-eyse　Hyeonsu-lul　boassda
　　　I-Top　Minji-Nom　Tokyo-in　Hyeonsu-Acc　saw

　　　고　　말했다.
　　　ゴ　　マレッタ
　　　ko　　malhayssta
　　　that　said

　　　'I think that Minji saw Hyeonsu in Tokyo.'
　　　私は、ミンジが東京でヒョンスを見たと言った。

単語を一つ一つ追っていくと、全く日本語と同じ語順になっていることが分かります。そうすると、すでに日本語の句構造規則 (3) が手元にありますから、それを利用して、韓国語の文 (2) の句構造を描くことができます。

(3)　句構造規則（日本語・韓国語）

a.　S　　　→　NP VP

b.　NP　　→　$\begin{Bmatrix} (NP) \\ (AP) \\ (S) \end{Bmatrix}$ N

c.　VP　　→　$\begin{Bmatrix} (PP) \\ (ADVP) \end{Bmatrix} \begin{Bmatrix} (NP) \\ (PP) \end{Bmatrix} \begin{Bmatrix} (NP) \\ (S') \end{Bmatrix}$ V

d.　S′　　　→　S CP

e.　AP　　→　(ADVP) A

f.　PP　　→　NP P

g.　ADVP　→　ADV

h.　CP　　→　C

(4)

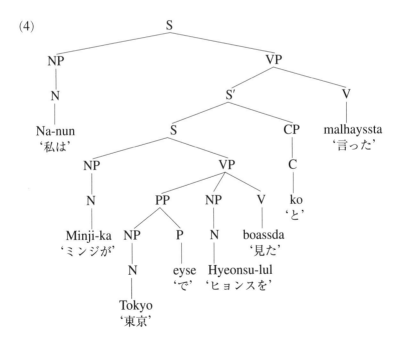

続いて、関係節を含む文を見てみましょう。

(5) 나는　　　타인을　　　　비판하는　　　사람을
　　　ナヌン　　ターイヌル　　ピーパナン　　サラムル
　　　Na-nun　tain-ul　　　　piphanhanun　salam-ul
　　　I-Top　　otherpeople-Acc　ciriticize　　person-Acc
비판한다.
ピーパナンダ
pipanhanda
ciriticize
'I criticize the person who criticizes the others.'
私は、他人を批判する人を批判する。

この場合も、単語を一つ一つ追っていくと、全く日本語と同じ語順になっていることが分かります。そうすると、手元の句構造規則 (3) を利用して、韓国語の文 (5) の句構造を描くことができます。

(6)

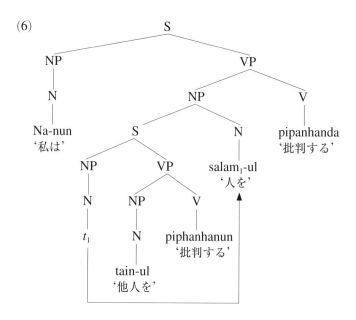

　続いて、スウェーデン語を見て
みましょう。スウェーデン語は、
インド・ヨーロッパ語の中のゲル
マン語系の言語の一つで、英語と
同じ仲間です。

　私とスウェーデン語との出会い
について少し触れておきたいと思
います。サラさんと出会ったの

スウェーデン（Sara さん撮影）

は、2006 年。岐阜市にある幼稚園にお勤めでした。スウェーデン出身。
図書館で調べて、話しかけました。一言だけ。「ゴモロン（God morgon）」
ちょっと笑ってくれたような。ただ、「おはよう」くらいしか言えなかっ
たのに、なんだか通じたんじゃないかと思え、妙に嬉しくなったのを覚え
ています。そして、いまだに、サラさんご家族とお付き合いしています。

　それでは、スウェーデン語の文を見てみましょう。まずは、埋め込み文
を含む文。

　(7)　John　tror　att　Marie　kom　till　Japan.
　　　　ヨーン　トルー　アット　マリー　コム　ティル　ヤーパン
　　　　'John thinks that Marie came to Japan.'
　　　　ヨンは、マリーが日本に来たと思っている。

単語を一つ一つ追っていくと、全く英語と同じ語順になっていることが分
かります。そうすると、すでに英語の句構造規則 (8) が手元にあります
から、それを利用して、スウェーデン語の文 (7) の句構造を描くことが
できます。

　(8)　句構造規則（英語・スウェーデン語）
　　　a.　S　　　　→　NP VP

b. NP → (DP) $\begin{Bmatrix} (NP) \\ (AP) \end{Bmatrix}$ N (S′)

c. VP → V $\begin{Bmatrix} (NP) \\ (S') \end{Bmatrix}$ $\begin{Bmatrix} (NP) \\ (PP) \end{Bmatrix}$ (ADVP)

d. S′ → CP S

e. AP → (ADVP) A

f. PP → P NP

g. ADVP → ADV

h. DP → D

i. CP → C

(9)

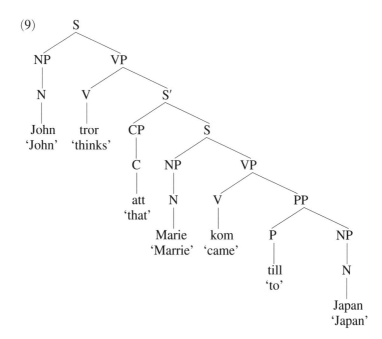

続いて、関係節を含む文を見てみましょう。

(10)　Jag　besökte　　platsen　　　som　Susanna　　besökte
　　　ヤッ　ベセークテ　プラッツェン　ソム　スサーンナ　ベセークテ
　　　med　Marie.
　　　メ　　マリー
　　　'I visited the place which Susanna visited with Marie.'
　　　私は、スサンナがマリーと訪れた場所を訪れた。

この場合も、単語を一つ一つ追っていくと、全く英語と同じ語順になっていることが分かります。ただし、微妙に英語と異なる箇所がありそうです。具体的には、冠詞です。*platsen* は、英語では、*the place* に相当しますが、冠詞の *the* が *platsen* の中に組み込まれているようです。本書では、*platsen* 自体を N として考え、句構造を描いていきたいと思います。句構造規則 (8) を利用すると、スウェーデン語の文 (10) は、次のような構造になります。

(11)

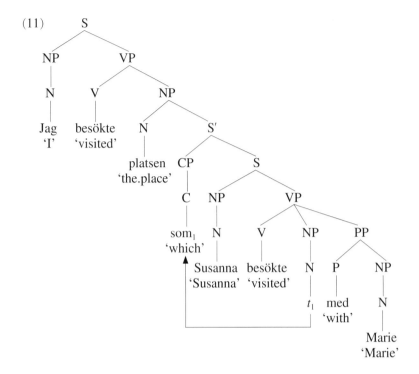

宿題5回目

以下の各文に対して、木構造を描いてください。その際、以下の句構造規則を利用してください。エクセルで木構造を描くことをお勧めします。

句構造規則（韓国語）

a.　S　　　→　NP VP

b.　NP　　→　$\begin{cases}(NP)\\(AP)\\(S)\end{cases}$ N

c.　VP　　→　$\begin{cases}(PP)\\(ADVP)\end{cases}$ $\begin{cases}(NP)\\(PP)\end{cases}$ $\begin{cases}(NP)\\(S')\end{cases}$ V

d.　S′　　→　S CP

e.　AP　　→　(ADVP) A

f.　PP　　→　NP P

g.　ADVP　→　ADV

h.　CP　　→　C

01　나는　　　철수가　　　　10년전에　　　　중국을
　　ナヌン　チョルスガ　　シンニェンチョネ　チュンググル
　　Na-nun　Cheolsu-ka　　sipnyenzen-ey　　zungkuk-ul
　　I-Top　　Cheolsu-Nom　10 year before-at　China-Acc

　　방문했다　　　　고　　　들었다.
　　バンムンヘッタ　ゴ　　　トゥルッタ
　　bangmunhayssta　ko　　tulessta
　　visited　　　　　that　heard

　　'I heard that Cheolsu visited China 10 years ago.'
　　私は、チョルスが10年前中国を訪れたと聞いた。

02　나는　　　교내식당에서　　　　　초밥을　　　먹은　　사람을
　　ナヌン　キョネィシィッダンゲソ　チョバッブル　モグン　サラムル
　　Na-nun　kyonaysikdang-eyse　　chopap-ul　　mekun　salam-ul
　　I-Top　　school dining hall-in　　sushi-Acc　　ate　　person-Acc

보았다.
ボアッタ
boassda
met
'I saw the person who ate sushi at the school cafeteria.'
私は、学食ですしを食べた人に会った。
(「食べた場所」が学食という意味で)

03 동호의　　　영화를　　　본　사람이　　　화장실에서
　　ドンホウィ　　ヨンファルル　ボン　サラミ　　　ホヮザンシレソ
　　Dongho-uy　yenghua-lul　pon　salam-i　　hwazangsil-eyse
　　Dongho-Gen　movie-Acc　saw　people-Nom　bathroom-in
　　울고있었다.
　　ウルゴイススッタ
　　ulkoissessta
　　was.crying
　　'The person who saw Dongho's movie was crying in the bathroom.'
　　ドンホの映画を見た人が、お手洗いで泣いていた。

04 철수가　　　　바라본　　사람이　　　웃었다
　　チョルスガ　　バラボン　サラミ　　　ウソッタ
　　Cheolsu-ka　　balabon　salam-i　　useossda
　　Cheolsu-Nom　looked.at　person-Nom　laughed
　　'The person who Cheolsu looked at laughed.'
　　チョルスが見つめた人が、笑った。

05 철수를　　　　비판한　　사람이　　　영희를
　　チョルスルル　ピーパナン　サラミ　　　ヨンヒールル
　　Cheolsu-lul　piphanhan　salam-i　　Younghee-lul
　　Cheolsu-Acc　criticized　person-Nom　Younghee-Acc
　　칭찬했다.
　　チンチャネッタ

chingchanhayssta

praised

'The person who criticized Cheolsu praised Younghee.'

チョルスを批判した人が、ヨンヒをほめた。

06　당신은　　　영희가　　　　　도쿄역에서　　　무었을

　　タンシヌン　ヨンヒーガ　　　トウキョウヨゲソ　ムォスル

　　Tangsin-un　Younghee-ka　　TokyoYoku-eyse　muess-ul

　　you-Top　　Younghee-Nom　TokyoStation-at　what-Acc

　　샀다　고　　생각했습　　　　니까？

　　サッタ　ゴ　　センガヘッス　　　ニカ

　　sassta　ko　sayngkakhaysssup　nika?

　　bought　that　thought　　　　　Q

　　'What did you think that Younghee bought at Tokyo Station?'

　　あなたは、ヨンヒが東京駅で何を買ったと思いましたか？

句構造規則（スウェーデン語）

a.　S　　　　→　NP VP

b.　NP　　　→　(DP) $\begin{Bmatrix} (NP) \\ (AP) \end{Bmatrix}$ N (S')

c.　VP　　　→　V (NP) $\begin{Bmatrix} (NP) \\ (PP) \end{Bmatrix}$ (ADVP)

c.　VP　　　→　V $\begin{Bmatrix} (NP) \\ (S') \end{Bmatrix}$ $\begin{Bmatrix} (NP) \\ (PP) \end{Bmatrix}$ (ADVP)

d.　S'　　　→　CP S

e.　PP　　　→　P NP

f.　AP　　　→　(ADVP) A

g.　ADVP　→　ADV

h.　DP　　　→　D

i.　CP　　　→　C

07　Daniel　　trodde　　att　　John　　åkte　　till

　　ダーニエル　トルッデ　アット　ヨーン　オークテ　ティル

New York.
ニューヨーク
'Daniel thought that John went to New York.'
ダニエルは、ヨンがニューヨークに行ったと思った。

08 De hörde att Susanna spelade fotboll
デ　ヘルデ　アット　スサーンナ　スピーラデ　フュートボール
i Gifu.
イ　ギフ
'They heard that Susanna played soccer in Gifu.'
彼らは、スサンナが岐阜でサッカーをしたと聞いた。

09 Jag vet vad Marie gav John.
ヤッ　ヴェット　ヴァッド　マリー　ガーヴ　ヨーン
'I know what Marie gave John.'
私は、マリーがヨンに何をあげたか知っている。

10 Jag träffade mannen som Marie gillade.
ヤット　トレファーデ　マーンネン　ソム　マリー　イラデ
'I met the man who Marie liked.'
私は、マリーが好きな人に会った。

11 Mannen som Marie gillade kom till Tokyo.
マーンネン　ソム　マリー　イラデ　コム　ティル　トウキョー
'The man who Marie liked came to Tokyo.'
マリーが好きな人が東京に来た。

12 Mannen som älskar katter gav oss sina
マーンネン　ソム　エスカ　キャットォ　ガーヴ　オッス　スィーナ
kläder.
クラードー
'The man who loves cats gave us his clothes.'
ネコが好きな人が私達に彼の服をくれた。

第12回　未知の言語への挑戦

モンゴル語とフランス語

内モンゴル（Shulun さん撮影）

　まずは、モンゴル語から始めましょう。モンゴル語は、アルタイ語系の
言語の一つです。

　私とモンゴル語との出会いについてお話ししておきたいと思います。
2006年秋、ウリさんが突然私の研究室に現れました。京都の大学を卒業
したので、大学院に入りたいと。母語は何ですかと尋ねると、モンゴル語
だと。これまで、アイルランド語は少し調査したことがありましたが、モ
ンゴル語には、一度も触れたことがありませんでした。ですから、ウリさ
んに言いました。是非いらしてください。その後は、何名もモンゴル語母
語話者の学生が研究室に出入りするようになり、私もモンゴル語の世界に
引き込まれていくことになりました。ウリさんは、大学近辺に住んでいる
ので、今でもふらっと研究室にやってきます。おさななじみか。

　それでは、モンゴル語の文を見てみましょう。まずは、埋め込み文を含
む文。

(1)　Bi　Ulaɣan　almurad　idegsen　gejü　bodujai.
　　　ビー　ウラーン　アルムラ　イッスン　グチ　ボディチェ
　　　I　Ulaɣan　apple　ate　that　thought
　　　'I thought that Ulaɣan ate an apple.'

私は、ウラーンがりんごを食べたと思った。

単語を一つ一つ追っていくと、全く日本語と同じ語順になっています。日本語の句構造規則 (2) を利用して、モンゴル語の文 (1) の句構造を描いてみましょう。

(2)　句構造規則（日本語・韓国語・モンゴル語）

a. S　　→　NP VP

b.
NP　→ $\left\{\begin{array}{l}(NP)\\(AP)\\(S)\end{array}\right\}$ N

c. VP　→ $\left\{\begin{array}{l}(PP)\\(ADVP)\end{array}\right\}\left\{\begin{array}{l}(NP)\\(PP)\end{array}\right\}\left\{\begin{array}{l}(NP)\\(S')\end{array}\right\}$ V

d. S′　　→　S CP

e. AP　　→　(ADVP) A

f. PP　　→　NP P

g. ADVP　→　ADV

h. CP　　→　C

(3)

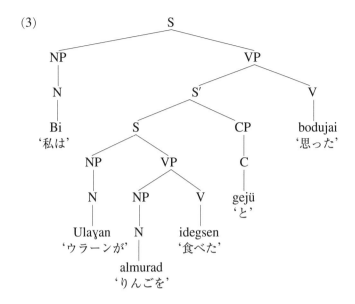

続いて、関係節を含む文を見てみましょう。

(4)　Bi　　bosud-i　　šigümjilekü　kümün-i　　šigümjile-ne.
　　　ビー　ボスティ　　シグムチル　　フニ　　　　シグムジンラ
　　　I　　others-Acc　criticize　　person-Acc　criticize
　　　'I criticize the person who criticizes the others.'
　　　私は、他人を批判する人を批判する。

この場合も、単語を一つ一つ追っていくと、全く日本語と同じ語順になっています。日本語の句構造規則 (2) を利用して、モンゴル語の文 (4) の句構造を描いてみましょう。

(5)

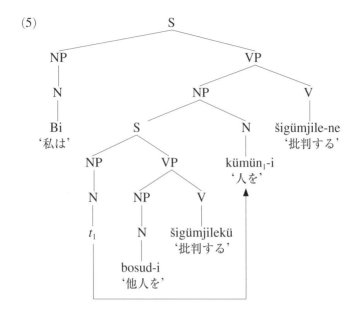

　続いて、フランス語を見てみましょう。フランス語は、インド・ヨーロッパ語の中のイタリック語派に属する言語の一つです。

　私とフランス語との出会いについてお話ししましょう。Thierry Troude（ティエリー・トルード）さんと出会ったのは、1985 年 4 月。筑波大学外国語センター。フランス語会話の訓練を人生で初めて受けました。いまだに耳に残っています。Je demande à Kan.（Kan さんに聞きますよ）自分の名前が呼ばれないことをひたすら祈っていました。あれから 40 年。今では、研究室の隣に、Gilles Guerrin（ジル・ゲラン）さんがいます。なぜか毎日話してます。日本語で。

　それでは、フランス語の文を見てみましょう。以下、発音をカタカナで示す

ノートルダム大聖堂
（Mayuka さん撮影）

際、ガギグゲゴで表示してあるのは、ラリルレロとガギグゲゴの間くらい
の音です。日本語にない音なので、表現するのがなかなか困難です。まず
は、埋め込み文を含む文。

(6)　Pierre　　pense que Marie　vient　　de　Tokyo.
　　　ピエーガ ポンスク　マリー　ヴィアン ドゥ トキョ
　　　'Pierre thinks that Marie came from Tokyo.'
　　　ピエールは、マリーが東京から来たと思っている。

単語を一つ一つ追っていくと、全く英語と同じ語順になっています。英語
の句構造規則 (7) を利用すると、フランス語の文 (6) は、次のような構
造になります。

(7)　　句構造規則（英語・スウェーデン語・フランス語）

　　a.　S　　　　→　NP VP

　　b.　NP　　　→　(DP) $\begin{cases} \text{(NP)} \\ \text{(AP)} \end{cases}$ N (S')

　　c.　VP　　　→　V $\begin{cases} \text{(NP)} \\ \text{(S')} \end{cases}$ $\begin{cases} \text{(NP)} \\ \text{(PP)} \end{cases}$ (ADVP)

　　d.　S'　　　→　CP S

　　e.　AP　　　→　(ADVP) A

　　f.　PP　　　→　P NP

　　g.　ADVP　→　ADV

　　h.　DP　　　→　D

　　i.　CP　　　→　C

(8)

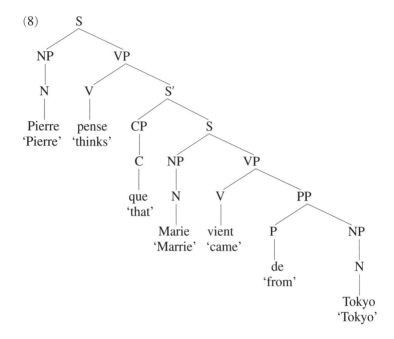

続いて、関係節を含む文を見てみましょう。

(9) Je   critique   les gens   qui critiquent   les autres.
    ジュ キティーク   レ ジャン   キ キティーク   レ ゾートガ
    'I criticize the persons who criticize the others.'
    私は、他人を批判する人を批判する。

この場合も、単語を一つ一つ追っていくと、全く英語と同じ語順になっています。句構造規則 (7) を利用すると、フランス語の文 (9) は、次のような構造になります。

(10)

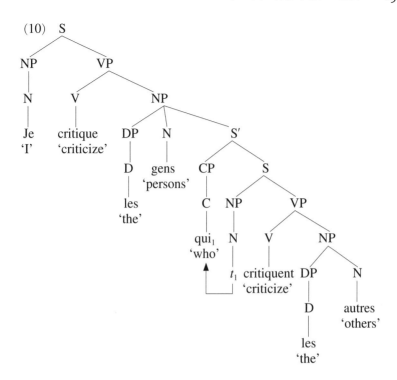

宿題 6 回目

以下の各文に対して、木構造を描いてください。その際、以下の句構造規則を利用してください。エクセルで木構造を描くことをお勧めします。

句構造規則（モンゴル語）

a. S $\rightarrow$ NP VP

b. NP $\rightarrow$ $\left\{ \begin{array}{l} \text{(NP)} \\ \text{(AP)} \\ \text{(S)} \end{array} \right\}$ N

c. VP $\rightarrow$ $\left\{ \begin{array}{l} \text{(PP)} \\ \text{(ADVP)} \end{array} \right\}$ $\left\{ \begin{array}{l} \text{(NP)} \\ \text{(PP)} \end{array} \right\}$ $\left\{ \begin{array}{l} \text{(NP)} \\ \text{(S')} \end{array} \right\}$ V

d. S' $\rightarrow$ S CP

e. AP $\rightarrow$ (ADVP) A

f. PP $\rightarrow$ NP P

g. ADVP $\rightarrow$ ADV

h. CP $\rightarrow$ C

01 Baɣatur öčügedür Ulaɣan-tai suši qijai.
バートル オチュゲドル ウラーンテ スシ ヒジェ
Baɣatur yesterday Ulaɣan-with sushi made
'Baɣatur made sushi with Ulaɣan yesterday.'
バートルが、昨日、ウラーンとすしを作った。

02 Baɣatur Sečen-du büljeng ügčei.
バートル スチントゥ ブルジィン ウグチェ
Baɣatur Sečen-to ring gave
'Baɣatur gave a ring to Sečen.'
バートルが、スチンに指輪をあげた。

03 Bi Saran Tokyo-du Batu-gi olju qaraɣsan gejü
ビー サルン トーキョートゥ バトゥギ オルチュ ハルスン グチ
I Saran Tokyo-in Batu-Acc saw that

kelejei.

フルチェ

said

'I said that Saran saw Batu in Tokyo.'

私は、サルンが東京でバトゥを見たと言った。

04　Kino　üjegsen　kümün　uqilaju　baijai.

　　キノ　ウッスン　ウン　　ウエーチ　ベジェ

　　movie　saw　　　person　was.crying

　　'The person who saw the movie was crying.'

　　映画を見た人が、泣いていた。

05　Baɣatur Ulaɣan　olju　　qaraɣsan kino-gi olju　　qarajai.

　　バートル　ウラーン　オルチュ　ハルスン　キノギ　オルチュ　ハルジェ

　　Baɣatur Ulaɣan　saw　　　　　　　　　　movie-Acc saw

　　'Baɣatur saw the movie which Ulaɣan saw.'

　　バートルは、ウラーンが見た映画を見た。

06　Baɣatur-i　　šigümjilegsen　kümün Ulaɣan-i　　maɣtajai.

　　バートリ　　シグムチルスン　フン　　ウラーニ　　マッフテジェ

　　Baɣatur-Acc criticized　　　person Ulaɣan-Acc　praised

　　'The person who criticized Baɣatur praised Ulaɣan.'

　　バートルを批判した人が、ウラーンをほめた。

句構造規則（フランス語）

a.	S	→	NP VP

b.	NP	→	(DP) $\begin{cases} (NP) \\ (AP) \end{cases}$ N (S')

c.	VP	→	V (NP) $\begin{cases} (NP) \\ (PP) \end{cases}$ (ADVP)

c.	VP	→	V $\begin{cases} (NP) \\ (S') \end{cases}$ $\begin{cases} (NP) \\ (PP) \end{cases}$ (ADVP)

d.	S'	→	CP S

e.	PP	→	P NP

f.	AP	→	(ADVP) A

g. ADVP → ADV

h. DP → D

i. CP → C

07 Jean a mangé des sushis avec Marie.
ジャン ア モンジェ デ スシ アヴェック マリー
'Jean ate sushi with Marie.'
ジャンが、マリーとすしを食べた。

08 Daniel a envoyé une lettre à un ami.
ダニエル ア アンヴォワイエ ユン レットガ ア アナミ
'Daniel sent a letter to a friend.'
ダニエルが、友達に、手紙を送った。

09 Marie a dit que Nathalie avait vu Pierre à Tokyo.
マリー ア ジック ナタリー アヴェ ヴュ ピエーガア トキョ
'Marie said that Natalie saw Pierre in Tokyo.'
マリーは、ナタリーが東京でピエールを見たと言った。

10 Les personnes qui ont vu ce film ont pleuré.
レ ペクソンヌ キオンビュ ス フィルム オン プラーゲ
'The persons who saw the movie cried.'
その映画を見た人が、泣いていた。

11 Marie a vu le film que Jean a vu.
マリー ア ヴュ ル フィルム ク ジャン アヴュ
'Marie saw the movie which Jean saw.'
マリーは、ジャンが見た映画を見た。

12 La personne qui a donné un chat à Jean, a donné
ラ ペクソンヌ キ ア ドネ アン シャ ア ジャンア ドネ
un chien à Marie.
アン シアン ア マリー
'The person who gave a cat to Jean gave a cat to Marie.'
ジャンに猫をあげた人が、マリーに犬をあげた。

第13回 未知の言語への挑戦

ビジ語と中国語

ビジ語地区（王少鴿さん提供）

まずは、ビジ語から始めましょう。ビジ語は、チベット・ビルマ語派の言語で、中国の湖南省、湖北省、重慶市などで話されています。

私とビジ語との出会いについて。研究室の学生だった王少鴿氏が、2021年に修士論文を提出しました。ビジ語について。その際、お世話になっていたのが、ビジ語母語話者のゼステルパ氏。それ以降、私もずっとお世話になりっぱなしです。学生のネットワークには、ただ、感謝しかありません。

それでは、ビジ語の文を見てみましょう。以下、発音をカタカナとローマ字で示していますが、だいたいそのように聞こえると理解していただければと思います。ビジ語は、名詞の格が、日本語と比べると、かなり複雑です。以下では、それには気を取られず、構造に焦点を当てていきましょう。まずは、単文から。

(1) Kyâśi-gos　b'uln'i　K'ośi-da　k'ral　ró ki-vzid-dři.
　　チュシ-ゴス　プンニ　　コシ-ダ　　クライ　ロ　ク-ヴズ-ジ
　　Chushi-Nom yesterday Koshi-Com chair　a　Pfx-make-Perf
　　'Chushi made a chair with Koshi yesterday.'
　　チュシが、昨日、コシといすを作った。

単語を一つ一つ追っていくと、ほとんど日本語と同じ語順になっています。ただし、ビジ語には、冠詞 *ró* 'a' が存在し、その冠詞が、名詞の後ろに来ている点が、日本語と大きく異なる点です。(1) に基づいて句構造規則 を考えてみましょう。

(2) 句構造規則 (ビジ語)

    a. S   →   NP VP

    b. NP   →   (NP) N (DP)

    c. VP   →   (ADVP) (PP) (NP) V

    d. DP   →   D

    e. PP   →   NP P

    f. ADVP   →   ADV

それでは、(2) を利用して、ビジ語の文 (1) の句構造を描いてみましょう。

(3)

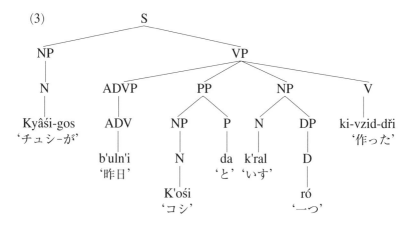

続いて、関係節を含む文を見てみましょう。

(4) Kyâśi-gos   K'ośi   ža-ŕauk-ś   gi   mc'ipwat-bo
    チュシ‐ゴス コシ   ヤ‐ホフ‐シ   グン ツプ‐ボ
    Chushi-Nom Koshi Antip-write.Pst-Nmlz the   book-Dat
    ka-mbar-dři.
    カン‐バル‐ジ
    Pfx-look-Perf
    'Chushi read the book Koshi wrote.'
    チュシが、コシが書いた本を読んだ。

(4) では、他動詞「読む（ビジ語では、「見る」が「読む」に相当します）」の目的語に、-bo「に」が付いていますが、-bo は、後置詞と考えず、目的語の一部と考えていきたいと思います。この場合も、単語を一つ一つ追っていくと、ほとんど日本語と同じ語順になっています。ただし、ビジ語には、冠詞 gi 'the' が存在し、その冠詞が、関係節とともに現れる場合は、名詞の前に来ています。ビジ語の冠詞は、名詞の前後に出現するという性質を持っているようです。それでは、(4) を考慮に入れ、句構造規則を修正してみましょう。

(5) 句構造規則（ビジ語）
　　a. S   → NP VP
　　b. NP   → $\left\{\begin{array}{c}(NP)\\(S)\end{array}\right\}$ **(DP)** N (DP)
　　c. VP   → (ADVP) (PP) (NP) V
　　d. DP   → D
　　e. PP   → NP P
　　f. ADVP → ADV

それでは、句構造規則 (5) を利用して、ビジ語の文 (4) の句構造を描いてみましょう。

138

(6)

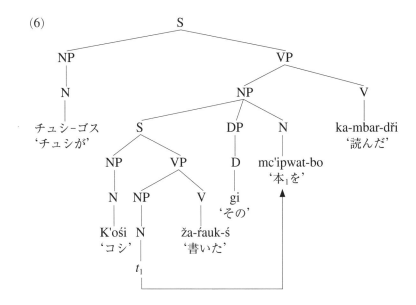

　これで関係節の話が終わるのであれば、気楽です。ところが、ビジ語は、もう一つ別の形の関係節も持っているのです。(7) は、(4) と全く同じ意味の文です。

(7) 　Kyâśi-gos 　　gi 　　mc'ipwat t'yiš 　K'ośi
　　　チュシ-ゴス 　グン ツプ 　　　チシ 　コシ
　　　Chushi-Nom the 　book 　　　what Koshi
　　　ža-ŕauk-ś-bo 　　　　　　　ka-mbar-dři.
　　　ヤ-ホフ-シ-ボ 　　　　　　　カン-バル-ジ
　　　Antip-write.Pst-Nmlz-Dat Pfx-look-Perf
　　　'Chushi read the book Koshi wrote.'
　　　チュシが、コシが書いた本を読んだ。

(7) は、なんと、関係代名詞 t'yiš まであって、英語と同じ語順で、名詞-関係節の順になっています。さっきまで、ほとんど日本語と同じような句構造規則を持っていると思ったら、えらいことになってきました。た

だ、すでに上でヒントがありました。冠詞が、名詞の前後に来るという性質を持っていました。関係節に関しても同じですね。名詞の前後に出現するという性質を持っています。では、句構造規則を修正しましょう。

(8)　句構造規則（ビジ語）

a. S　　　→　NP VP

b. NP　　→　$\left\{\begin{array}{c}\text{(NP)}\\ \text{(S)}\end{array}\right\}$ (DP) N $\left\{\begin{array}{c}\text{(DP)}\\ \textbf{(S')}\end{array}\right\}$

c. VP　　→　(ADVP) (PP) (NP) V

d. S′　　→　CP S

e. PP　　→　NP P

f. ADVP →　ADV

g. CP　　→　C

h. DP　　→　D

それでは、句構造規則 (8) を利用して、ビジ語の文 (9) の句構造を描いてみましょう。

(9)

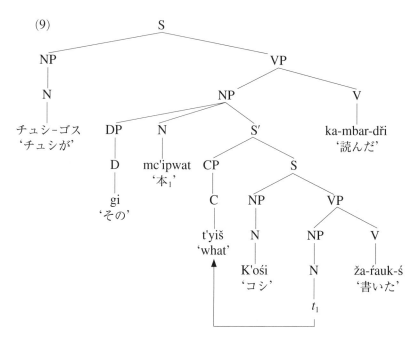

最後に、埋め込み文を含む文を見てみましょう。

(10)　Kyâśi-gos　　t'yiš　K'ośi　garzu-ś-bo　　　　　ki-riu.
　　　チュシ-ゴス　チシ　コシ　　ガルズ-シ-ボ　　　　クーリュ
　　　Chushi-Nom　what　Koshi　dance.Pst-Nmlz-Dat　Pfx-speak.Pst
　　　'Chushi said that Koshi danced.'
　　　チュシが、コシが踊ったと言った。

あれあれ、(10) には、埋め込み文の先頭に、(7) の関係節を含む文で見た、関係代名詞 t'yiš が現れています。厳密には、それが何であるかは明確にできませんが、ここではいったん、これを Comp の「と」/ that と同じものだと考え、句構造規則を修正します。また、埋め込み文の動詞「踊る」に、-bo「に」が付いていますが、-bo は、後置詞と考えず、動詞の一部だと考えて話を進めていきたいと思います。

(11)　句構造規則（ビジ語）

a. S　　　→　NP VP

b. NP　　→　$\left\{\begin{array}{c}\text{(NP)}\\\text{(S)}\end{array}\right\}$　(DP) N $\left\{\begin{array}{c}\text{(DP)}\\\text{(S')}\end{array}\right\}$

c. VP　　→　(ADVP) (PP) $\left\{\begin{array}{c}\text{(NP)}\\\textbf{(S')}\end{array}\right\}$ V

d. S'　　　→　CP S

e. PP　　→　NP P

f. ADVP　→　ADV

g. CP　　→　C

h. DP　　→　D

それでは、句構造規則 (11) を利用して、ビジ語の文 (10) の句構造を描いてみましょう。

(12)

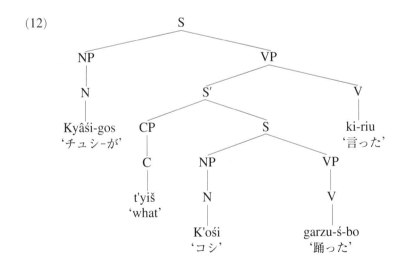

続いて、中国語を
見てみましょう。中
国語は、シナ・チ
ベット語族に属する
言語です。日本語と
は異なる系統の言語

中国（著者撮影）

で、SVO 言語ですが、部分的に日本語のような SOV 言語の性質を持っ
ており、二つの性質をミックスして持っているように見えます。

　私と中国語との出会いについて。樋口靖東京外国語大学名誉教授と出
会ったのは、1985 年 4 月。筑波大学。中国語学概論の授業。その時は、
1991 年 3 月に中国を旅することになるとは思わなかった。その時は、岐
阜大学で、中国からの留学生と毎日過ごすことになるとは思わなかった。
スライドを使った留学生の自己紹介が、一番好きです。どの自己紹介も、
写真集になる。

　それでは、中国語の文を見てみましょう。以下、発音をカタカナで示す
際、タチツテトとパピプペポで表示してあるのは、ダジズデドとバビブベ
ボで書いてもいい音です。日本語にない音なので、表現するのがなかなか
困難です。まずは、埋め込み文を含む文。

(13)	我	说了	王芳	在	东京	看见了
	Wo	shuole	Wangfang	zai	Dongjing	kanjianle
	ウォー	シュオラ	ワンファン	ツァイ	トンチン	カンジェンラ
	I	said	Wangfang	in	Tokyo	saw

李雷.
Lilei
リーレイ
Lilei
'I said that Wangfang saw Lilei in Tokyo.'

　　　私は、王芳が東京で李雷を見たと言った。

動詞とその目的語、前置詞とその目的語の語順は、まったく英語と同じ。
ところが、英語と違う点が二つあります。まず、Comp がないこと。*that*
に当たるものが「言った」の直後にありません。また、PP「東京で」全体
が、動詞の前に来ています。PP が動詞の前にあるのは、日本語の特徴で
す。となると、中国語の句構造規則は日本語と英語の句構造規則のミック
スのようなものになります。Comp がないことも考慮し、次のような句
構造規則を想定したいと思います。

　（14）　句構造規則（中国語）
　　　a.　S　　→　NP VP
　　　b.　NP　→　N
　　　c.　VP　→　（PP）V $\begin{Bmatrix} \text{(NP)} \\ \text{(S)} \end{Bmatrix}$
　　　d.　PP　→　P NP

句構造規則（14）を利用して、中国語の文（13）の句構造を描いてみま
しょう。

(15)

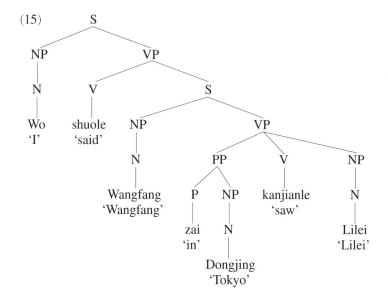

続いて、関係節を含む文を見てみましょう。

(16) 我   批判   批判   別人 的   人.
      Wo   pipan   pipan   bieren-de   ren
      ウオー ピーパン ピーパン ピエレンダ レン
      I   criticize criticize others-Gen   person
      'I criticize the person who criticizes the others.'
      私は、他人を批判する人を批判する。

(16) では、どうやら、関係節「他人を批判する」が、名詞「人」の前に来ているようです。関係節を句構造に入れ込むために、(14) の句構造規則を (17) のように変更しましょう。

(17) 句構造規則 (中国語)

   a. S   →   NP VP

   b. NP   →   (S) N

c.　VP　→　(PP) V $\left\{\begin{array}{l}\text{(NP)} \\ \text{(S)}\end{array}\right\}$

d.　PP　→　P NP

句構造規則 (17) を利用して、中国語の文 (16) の句構造を描いてみましょう。

(18)

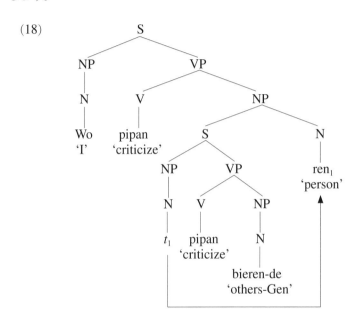

一点注意することがあります。関係節の終わりに「的＝の」が付いています。本書では、これ自体、独立した品詞を持たないと考えてください。句構造の中に書き入れることが困難なため、便宜的に、「別人」の横に付けています。実際の意味は、関係節全体 (つまり S) に付いているということです。

146

宿題 7 回目

以下の各文に対して、木構造を描いてください。その際、以下の句構造規
則を利用してください。エクセルで木構造を描くことをお勧めします。

句構造規則（ビジ語）

a. S   → NP VP

b. NP   → {(NP)} (DP) N {(DP)}
             {(S) }   {(S′)}

c. VP   → (ADVP) (PP) {(NP)} V
                         {(S′) }

d. S′   → CP S

e   PP   → NP P

f. ADVP → ADV

g. CP   → C

h. DP   → D

01 Kyâśi-gos   K'ośi-bo   vanbit   ró   ka-raut.
    チュシ-ゴス   コシ-ボ   ヴァンビ   ロ   カ-ロ
    Chushi-Nom K'ośi-Dat   pencil   a   Pfx-give.Pst
    'Chushi gave a pencil to Koshi.'
    チュシが、コシに、鉛筆をあげた。

02 Rëpabi-gos   t'yiš Kyâśi   Kyotou   K'ośi-bo
    リパビ-ゴス   チシ   チュシ   チョトゥウ コシ-ボ
    Rëpabi-Nom   what   Chushi Kyoto.Loc Koshi-Dat
    ža-źau-ś-bo   kô-sou.
    ヤ-ヨ-シ-ボ   グ-スウ
    Antip-see.Pst-Nmlz-Dat Pfx-think.Pst
    'Rëpabi thought that Chushi saw Koshi in Kyoto.'
    リパビは、チュシが京都でコシを見たと思った。

03　Gi　film-bo　　ža-źau-ś　　　　　　gi　mnó　ki-jiü-ra.
　　グ　フィウ-ボ　ヤ-ヨ-シ　　　　　　グン　ノ　　クーズゥ-ラ
　　the　movie-Dat　Antip-see.Pst-Nmlz　the　man　Pfx-cry.Pst-Prog
　　'The person who saw the movie was crying.'
　　その映画を見た人が、泣いていた。

04　Gi　mnó　aso　gi　film-bo　　ža-źau-ś
　　グン　ノ　　アソ　グ　フィウ-ボ　ヤ-ヨ-シ
　　the　man　who　the　movie-Dat　Antip-see.Pst-Nmlz
　　ki-jiü-ra.
　　クーズゥ-ラ
　　Pfx-cry.Pst-Prog
　　'The person who saw the movie was crying.'
　　その映画を見た人が、泣いていた。

05　Gi　mc'ipwat-bo　ža-ŕauk-ś　　　　　gi　　mnó-gos
　　グン　ツプ-ボ　　　ヤ-ホフ-シ　　　　　グン　ノ-ゴス
　　the　book-Dat　　Antip-write.Pst-Nmlz　the　　man-Nom
　　K'ośi　ža-ŕauk-ś　　　　　gi　mc'ipwat　ka-mbar-dři.
　　コシ　ヤ-ホフ-シ　　　　　グン　ツプ　　カン-バルージ
　　Koshi　Antip-write.Pst-Nmlz　the　book　　Pfx-look-Perf
　　'The person who wrote the book read the book which Koshi
　　wrote.'
　　その本を書いた人が、コシが書いた本を読んだ。

06　Gi　mnó　aso　gi　mc'ipwat-bo　ža-ŕauk-ś-gos
　　グン　ノ　　アソ　グン　ツプ-ボ　　　ヤ-ホフ-シ-ゴス
　　the　man　who　the　book-Dat　　Antip-write.Pst-Nmlz-Nom
　　gi　mc'ipwat　t'yiš　K'ośi　ža-ŕauk-ś　　　　　ka-mbar-dři.
　　グン　ツプ　　チシ　コシ　ヤ-ホフ-シ　　　　　カン-バルージ
　　the　book　　what　Koshi　Antip-write.Pst-Nmlz　Pfx-look-Perf
　　'The person who wrote the book read the book which Koshi
　　wrote.'
　　その本を書いた人が、コシが書いた本を読んだ。

句構造規則（中国語）

a. S → NP VP
b. NP → (S) N
c. VP → (PP) V $\begin{Bmatrix} (NP) \\ (S) \end{Bmatrix}$
d. PP → P NP

関係節の終わりに「的＝の」が付いています。これ自体、独立した品詞を持たないと考え、便宜的に、その直前の語に付けておいてください。

07 李雷　　认为　　　　刘娜　　　从　　　东京　　　来了.
　　Lilei　　renwei　　Liuna　　cong　　Dongjing　laile
　　リーレイ　レンウエィ　リュウナ　ソン　トンチン　ライラ
　　Lilei　　think　　　Liuna　　from　　Tokyo　　came
　　'Lilei thinks that Liuna came from Tokyo.'
　　李雷は、刘娜が東京から来たと思っている。

08 我　　　看见了　　　　吃　　寿司　的　　　人.
　　Wo　　kanjianle　　　chi　shousi-de　　ren
　　ウォー　カンジェンラ　チィ　ショウスーダ　レン
　　I　　　saw　　　　　ate　sushi-Gen　　person
　　'I saw the person who ate sushi.'
　　私は、すしを食べる人を見た。

09 看了　　电影　　　的　　　人，　　哭了.
　　Kanle　dianying-de　　ren　　kule
　　カンラ　ディエンインダ　レン　　クーラ
　　saw　　movie-Gen　　person　was.crying
　　'The person who saw the movie was crying.'
　　映画を見た人が、泣いていた。

10 给了　　张三　　　　猫　的　　人，　　给了　　刘娜　　狗.
　　Geile　Zhangsan　　mao-de　ren,　　geile　Liuna　　gou.
　　ゲイラ　チャンサン　マオダ　レン　　ゲイラ　リュウナ　コウ
　　gave　Zhangsan　　cat-Gen　person　gave　Liuna　　dog

'The person who gave Zhangsan a cat gave Liuna a dog.'
张三に猫をあげた人が、刘娜に犬をあげた。

11　批判了　　　张三　　　的　　　人，　　　夸奖了　　　　刘娜.
　　Pipanle　　Zhangsan-de　ren,　　kuajiangle　　Liuna
　　ピーパンラ　チャンサンダ　レン　　クアジャンラ　リュウナ
　　criticized　Zhangsan-Gen　person　praised　　　Liuna
'The person who criticized Zhangsan praised Liuna.'
张三を批判した人が、刘娜をほめた。

12　刘娜　　　知道　　　张三　　　买了　　　什么.
　　Liuna　　zhidao　　Zhangsan　maile　　shenme
　　リュウナ　チータオ　チャンサン　マイラ　シェンマ
　　Liuna　　know　　　Zhangsan　bought　what
'Liuna knows what Zhangsan bought.'
刘娜は、張三が何を買ったか知っている。

第14回　おわりに

S/S′ と規則の統合

　これまでの話の中で、問題のまま残っていたものが一つあります。また、これまで見てきた規則をさらにシンプルにする提案がなされています。それを順番に見て行きたいと思います。

　まずは、最初の問題から。それは、S と S′ です。V、N、A、P は、すべて VP、NP、AP、PP のように投射し、必ず、XP を見つければ、その中に X があります。ところが、S と S′ だけは、どうにもこうにも。S も S′ も、そもそも、XP の形になっていません。どうしてそんなに特殊なのかなあ。この問題に、Chomsky（1986）は、一定の考えを示しました。それは、実は、S も S′ も XP の形をしているんだということです。S から考えてみましょう。英語で、こういう例があります。ちょっと強調したい時に言います。

　　(1)　I did play baseball.
　　　　 'いや、ほんとに、野球をしたんだよ.'

(1) 全体は、S です。*play baseball* は、おそらく、VP です。*I* は、NP です。困った。*did* が。これまでの句構造規則では、*did* がどこに行っていいか分かりません。

150

(2)　句構造規則（英語）

　　　a.　S　　　　→　NP VP

　　　b.　NP　　　→　(DP) $\begin{Bmatrix} (NP) \\ (AP) \end{Bmatrix}$ N (S′)

　　　c.　VP　　　→　V $\begin{Bmatrix} (NP) \\ (S′) \end{Bmatrix}$ $\begin{Bmatrix} (NP) \\ (PP) \end{Bmatrix}$ (ADVP)

　　　d.　S′　　　　→　CP S

　　　e.　AP　　　→　(ADVP) A

　　　f.　PP　　　→　P NP

　　　g.　ADVP　→　ADV

　　　h.　DP　　　→　D

　　　i.　CP　　　→　C

Chomsky (1986, p. 3) は、*did* のような要素も、独立した品詞だと言いました。過去時制を持っています。また、(4) のような例では、*does* は、現在時制かつ 3 人称も持っています。

(3)　She does play baseball.
　　　'いや、ほんとに、彼女は、野球をするんだよ.'

そこで、この *did* や *does* のようなものを、仮に、屈折するもの＝屈折辞と呼び、英語で、Inflection、略して、Infl、あるいは、I と呼ぶことにします。（過去や現在といった時制を示すので、Tense、略して、T と呼ぶこともあります。あるいは、屈折も時制も示しているのだから、I も T も両方必要だとする研究者もいます。本書では、簡単に I だけ使います。）この I が N や V と同じ品詞だということです。そうすると、V があるなら、VP があるのと同じように、I があるなら、IP があることになります。じゃあ、I/IP を使って、(1) の文の構造を描いてみましょう。

(4)

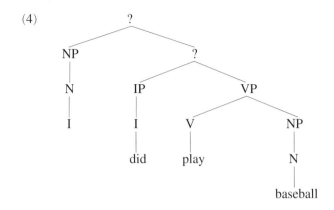

一見、何だかわけが分かりません。I を IP にして、NP と VP の間に来るように入れ込んでみましたが、2 か所、名前が付けられず、? になっています。ここで Chomsky（1986）は、この I が 2 段階で一番上に駆け上がり、そこで、IP となると提案しました。

(5)

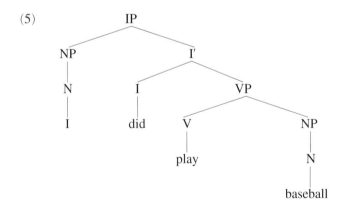

つまり、これまでの S は、I の投射で、IP であるということです。途中の I′ が気になる方がいるかもしれません。今は、このもやもやを持っていただいて。

では、S′ はどうなるんでしょうか？ 次の二つの文を考えてみましょう。

(6) Did Ichiro buy it?

(7) What did Ichiro buy?

これまで、(6) と (7) で、*did* の行き先が分からず、S にちょっこり付けていました。

(8) [s' What₁ [s **did** Ichiro buy t₁]]?

そして、(7) では、S より前に *what* が移動していますから、これは、全体で S′ だとしてきました。

(9)

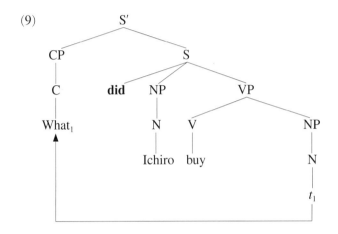

ところが、前に見た

(5)

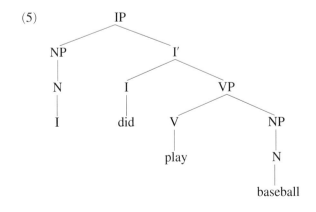

において、I が 2 段階で投射できるなら、じゃあ、他の品詞も、2 段階で投射できるんじゃないか。まず、*did* が行く先を、IP にちょこんとくっつけるんじゃなくて、特定の移動先、仮に、X とすると、まずは、次のようになるんじゃないか。

(10)

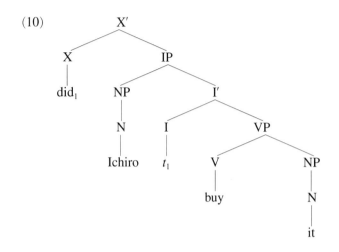

次に、*it* を *what* に変えて文頭に持っていきたいんだが、すでに、X に場所を取られているので、仕方ないから、(5) において、IP の左下に NP を入れたのと同じように、(10) でも、X′ の一つ上の、XP の下に、*what* を入れたらどうだろう。

(11)

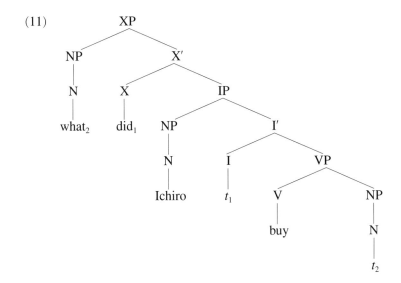

あれあれ、困ったぞ。疑問文は、S′ の下に CP があったじゃないか。CP は、どこに行っちゃったんだ？ そこで、Chomsky (1986) は、X を C にすれば、まったく I の場合と同じようになると言いました。

(12)

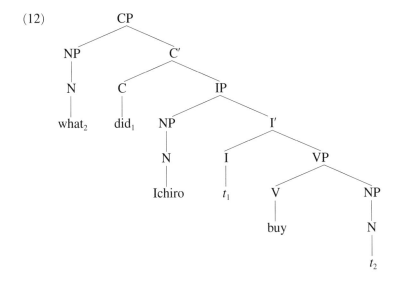

途中にある I′ がとても気になっていた方も、I′ 以外にも、C′ も同じこと
をしているなら、まあ、そういう性質の品詞もあるのかなと、気が楽にな
るかもしれませんね。

　このように、S/S′ は、IP/CP に置き換わり、これまでの問題は、ひと
まず、問題ではなくなったと言えるかもしれません。注意深い方は、途中
段階の X′ のようなものがある品詞と、そういうものがなくても済む品詞
には、何か違いがあるんじゃないかと思われるかもしれません。きっとそ
うだと思います。Fukui (1986, 1988)、Fukui and Speas (1986)、Abney
(1987) を参考にしてください。

　続いて、これまで見てきた規則をさらにシンプルにする提案を見たいと
思います。これまで見てきた規則、それは、次の二つです。

(13)　句構造規則

(14)　変換規則

これらは、文の基本構造を作り上げる規則と、いったん基本構造ができあ
がってから、その内部の要素の場所を変える規則でした。全く異なる性質
の規則です。1990 年代に入ると (Chomsky (1995))、これまで提案され
てきたものを、より一般化できないかという動きが加速してきます。より
少ない提案 (道具) で、人間言語の文法のモデルを作り上げられないかと
いう動きです。

　その中で、この句構造規則と変換規則を統合できるんじゃないかという
提案が出てきます (Chomsky (2013))。以下、そのあらすじです。

　句構造規則は、脳内の辞書から単語を拾ってきて、句構造の中に埋め込
み、基本的な構造を作る規則です。以下の例を使って、句構造規則が何を
しているかおさらいしましょう。

(15)　(I know) what Shohei bought.

まず、(15) の埋め込み文部分が平叙文で、仮に、*what* が *it* だったら、
(16) のような文になります。

(16)　Shohei bought it.

句構造規則は、文全体 S から始めて、細部を埋めていきます。VP が出
てきたら、(17) のように、V と NP に分けます。

(17)

最終的には、単語を入れ込んで、(18) のようになります。

(18)
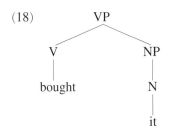

上から下に下がっていく感じです。ただ、人によっては、(18) をいきな
り見れば、VP が下に下がって、単語二つ (*bought* と *it*) に分かれること
と、一番下の単語二つ (*bought* と *it*) が、合わさって、上に上がって VP
になることとは、同じことだと感じられるでしょう。そこで、以下では、
話を分かりやすくするために、下から上に向かって見てみようと思いま
す。(立ち上がってんな。)
　まず、(15) の埋め込み文のもともとの配列は、(19) であったというと
ころから始めましょう。

(19)　Shohei bought what

さて、下から上に向かって見ると、いったいどういうことになるでしょう

158

か？　こんなことではないかと思います。私たちの脳内で頑張っている人（言語能力と同じことです）が、脳内の辞書の中から、まず、*bought* と *what* を引っ張り出してきて、VP を作りあげます。*buy* は、必ず目的語を必要とする動詞なので、まずは、その部分を作り上げておく必要があります。

(20)　[~VP~ bought + what]

分かりやすいように、＋の記号を使います。動詞と名詞を足すということです。この足し算の方法を、merge（マージ）と呼びましょう。

　次に、その脳内で頑張っている人は、辞書の中から *Shohei* も引っ張ってきて、S を作り上げます。（話を簡単にするために、IP ではなく、S を使います。）この場合、*Shohei* と VP の merge です。

(21)　[~S~ Shohei + [~VP~ bought + what]]

　次に、その脳内で頑張っている人は、これが、間接疑問文だということを示そうと頑張ります。さあ、ここで、何が起きるか？　これまで、ずっと辞書の中を覗き込んで、必要な部品を引っ張り出してきました。ここで一つ些細なことですが、大事なことを確認しておきます。この人が、部品を辞書から引っ張り出してくる時、本当に、その単語を、文字通り引っ張り出してきているでしょうか？いや、それは、ちょっとまずいです。辞書の中にある単語が、どんどん減ってしまうからです。では、その人は、いったい何をしているんでしょうか？　それは、必要な単語を見つけたら、ちょっと複写機で、コピーをとらせてもらって、そのコピーを辞書の外に持ち出しているのです。そうすれば、辞書の中身は、今後も減りませんから、安心して、何べんでも辞書を引くことができます。

　さあ、間接疑問文だということを示すぞ！この人は、間接疑問文は、いつも文の先頭に疑問語があるということを知っています。じゃあ、辞書か

ら、疑問語を引っ張って来ようかなと一瞬考えました。が、あれ、待て
よ、辞書にわざわざ出向かなくても、目の前に、すでに疑問語があるじゃ
ないか。*what* が VP の中にすでにあるじゃないか。これを引っ張り出し
てきて、文頭にくっつけちゃおう。ただまあ、辞書から単語を引っ張り出
して来た時もそうだったように、それをそのまんま引っ張り出してくる
と、何だか悪いことをしたような気になるから、いったん複写機でコピー
させてもらって、それで、文頭に張り付けてみよう。その結果が、(22)
です。

(22)　[s' what + [s Shohei + [vp bought + what]]]

これが、変換規則の結果だということを、忘れていませんよね？　そうで
す。*what* が *buy* の目的語の位置から、文頭に移動したんです。変換規則
によって。句構造規則とは全く違う規則によって。あれ？　でも、これ、
よく考えたら、*what* を S に merge させたんですよね。あれ？ってこと
は、辞書から単語を引っ張り出してきて、より大きい構造を作る句構造規
則も merge によるもので、辞書じゃなくって、目の前の、句構造規則で
作り上げた構造から単語を引っ張り出してきて、より大きい構造を作る変
換規則も merge によるものってこと？　そういうことです。これに
Chomsky (2013) がはっきりと気づいたのです。

(22) は、もちろん、このままでは、なんだかわけの分からない文です
よね。*what* を 2 回言う人、いるかって。こう考えましょう。以前、*want*
と *to* を一緒に発音して、*wanna* と言えるかどうかを見ました。その際、
間に *who* の痕跡 *t* があれば、*wanna* と言えませんでした。上の考え方で
見てみれば、痕跡どころか、*who* 自体がそこにあるので、*wanna* と言え
るはずがありません。この直観を利用すれば、脳内では、(22) の構造を
人間は、ずっと維持していると考えても不思議ではありません。一方、発
音する際に、2 回 *what* を言う人もいません。そこで、人間の脳は、2 か
所で、(22) の文を見ていると考えたらどうでしょうか。*buy* の目的語は、

160

what である、このような意味をしっかり確認している脳内部分では、(22) は、(22) のまま見ている。一方、人は、おしゃべりなので、どうしても、(22) を話したくなる。ただし、発音する時は、最初に一回 *what* を見たら、2つ目の同じものは、決して発音しない。そこで、意味を確認する脳内部分と別に、文の音声をしっかり取り仕切る、発音に関する脳内部分があって、その部分が、のどが渇くといけないので、わざわざ同じ単語を2回発音したりしないようにしてくれていると。

　まとめます。句構造規則も、変換規則も、merge という操作、つまり、足し算という作業をしているだけ。たまたま、利用する単語を、辞書から引っ張り出してくるか、目の前のできあがった構造から引っ張り出してくるかが違うだけ。このように、句構造規則と変換規則は、一つの merge という操作に統合されることになったのです。

　注意深い方には、一つ気がかりなことがあるかもしれませんね。句構造規則は、これですっかりなくなってしまうんですか？ 実は、句構造規則は、二つ大きい仕事をしていました。動詞を例に取りましょう。

(23)　[VP praised Shohei]

(24)　句構造規則（英語）
　　　VP　→　V NP

一つ目。句構造規則は、動詞 *praised* が、目的語 *Shohei* を取るということをしっかり示してくれる。実際、これは、辞書の内容と全く同じことです。二つ目。そして、同時に、目的語 *Shohei* が、動詞 *praised* の右側に来ることもしっかり取り決めてくれている。つまり、(24) を持っていれば、絶対に (25) のようなことにはならないのです。日本語じゃないんだから。

(25)　[VP Shohei praised]

句構造規則の一つ目の仕事は、merge に取り込まれて、さっぱりしました。が、二つ目の仕事は、まだ残ったままです。日本語・英語・中国語の句構造を思い出してください。これらの言語の文の要素の語順は、句構造規則で規定しておけば、ある程度正確に決定できます。では、句構造規則がなかったら？　この問題は、まだ私には解決方法分かりません。どうぞみなさん、取り組んでみてください。

第15回　付録

期末テストと課題

　言語学入門の授業における可能な期末テストと課題をお知らせします。期末テストの内容を三つ、課題を一つお知らせします。まずは、期末テストから。

　一つ目。これまで習った句構造規則を提示し、簡単な文から埋め込み文と関係節（付け足し文）を含む複雑な文まで、句構造を描くというもの。具体的には、以下のような例。

(1)　Yoshida says that Ippei knows whether Ichiro praised Shohei.
　　　‘吉田が、一平が、イチローが翔平をほめたかどうか知っていると言っている。’

(2)　Yoshida knows the person who knows whether Ichiro praised Shohei.
　　　‘吉田が、イチローが翔平をほめたかどうか知っている人を知っている。’

(3)　Yoshida knows the person who knows who Ichiro praised.
　　　‘吉田が、イチローが誰をほめたか知っている人を知っている。’

　二つ目。一定数の文を提示し、それらの文を作り上げることができる必

要最低限の句構造規則を提案するというもの。具体的には、以下のような
例。

 (4) a. Ippei danced.

   b. Ichiro saw the person.

   c. Shohei gave the book to the person.

   d. Yoshida thinks that Ippei danced yesterday.

   e. Ichiro knows the book which Shohei bought in LA.

可能な解答は、以下。

 (5) a. S → NP VP

   b. NP → (DP) N (S′)

   c. VP → V $\begin{Bmatrix} (NP) \\ (S′) \end{Bmatrix}$ (PP) (ADVP)

   d. S′ → CP S

   f. PP → P NP

   g. ADVP → ADV

   h. DP → D

   i. CP → C

 三つ目。句構造規則と単語を提示し、いくつ文ができるか問うもの。具
体的には、以下のような例。

 次の句構造規則と単語が与えられた場合、異なる文がいくつできるか、
説明しながら、述べよ。

 (6) 句構造規則

   a. S → NP VP

   b. NP → N

   c. VP → V NP (ADVP)

164

　　d.　ADVP　→　ADV

　(7)　単語リスト
　　a.　Ichiro
　　b.　Shohei
　　c.　saw
　　d.　praised
　　e.　yesterday

問1　世の中には、同じ名前の人がいる。例えば、野球選手のイチローと演歌歌手の鳥羽イチロー。野球選手のイチローが演歌歌手のイチローを見たという場合も含めると、文はいくつできるか?

可能な解答

文は、

　(8)　[S NP₁ [VP V NP₂ (ADVP)]]

の構造を持っている。すると、四つのスロットに何が来うるかを考える必要がある。

　(9) a.　NP₁　　　Ichiro, Shohei
　　b.　V　　　　saw, praised
　　c.　NP₂　　　Ichiro, Shohei
　　d.　ADVP　yesterday, ø

(9d) の ø は、副詞句が選択されなかった場合を表している。すると、四つのスロットそれぞれに、二つの語が可能であるので(同じ名前のイチローが NP₁ にも NP₂ にも現れていいので)、2 の 4 乗の組み合わせがあり、16 通りの文ができることになる。

問 2　同じ名前の人が文中に 1 度に 2 回出ると、ややこしいので、そういう場合は含めないようにすると、文はいくつできるか？

可能な解答

四つのスロットのうち、NP$_1$ に現れたものは、NP$_2$ に現れられないので、(9c) の NP$_2$ の選択肢は、二つのうちの一つだけになる。そうすると、各スロットの選択肢の数は、2, 2, 1, 2 となる。したがって、2 の 3 乗の組み合わせが可能で、8 通りの文ができることになる。

　続いて、可能な課題について。一例をお知らせします。

(10)　課題

　　　百人一首の中から一首選び、これまで習った句構造規則ではさっぱり構造が描けない部分を明示的に指摘してください。

以下では、これまで提出された課題の中から一例お知らせします。池田真由子氏の課題（2023 年前学期）に基づいています。

解答

百人一首 95 番

前大僧正慈円（さきのだいそうじょうじえん。1155-1225 年)

おほけなく　うき世の民に　おほふかな　わがたつ杣に　墨染の袖

身のほど知らずであるが、被いかけよう、つらそうにしている世の中の人々の上に。私が今立っている比叡山、そこに私は住み始めたのだが、そこで僧侶がまとう墨染めの袖を。

(11) の句構造規則が与えられているとする。

(11)　句構造規則（日本語）

    a.　S　　　→　NP VP

    b.

$$\text{NP} \rightarrow \left\{ \begin{array}{l} \text{(NP)} \\ \text{(AP)} \\ \text{(S)} \end{array} \right\} \text{N}$$

    c.　VP　　→　$\left\{ \begin{array}{l} \text{(PP)} \\ \text{(ADVP)} \end{array} \right\} \left\{ \begin{array}{l} \text{(NP)} \\ \text{(PP)} \end{array} \right\} \left\{ \begin{array}{l} \text{(NP)} \\ \text{(S')} \end{array} \right\} \text{V}$

    d.　S′　　　→　S CP

    e.　AP　　　→　(ADVP) A

    f.　PP　　　→　NP P

    g.　ADVP　→　ADV

    h.　CP　　　→　C

すると、上の一首の構造は、おおむね、（12）のようになる。

(12)

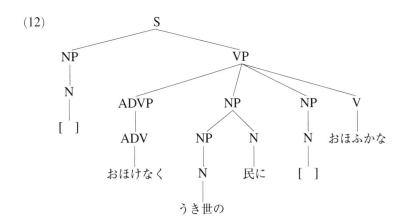

　ここで、次の2点が問題となる。まず第一に、主語は、詠み手である「私」
であるはずだが、明示的に示されていない。第二に、直接目的語は、おお
むね、（13）のような構造であるが、（12）の直接目的語の位置になく、

(13)

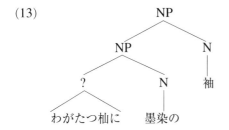

動詞の右側のどこか、それは、(14) における NP₁、あるいは、NP₂ の可能性があるが、

(14)

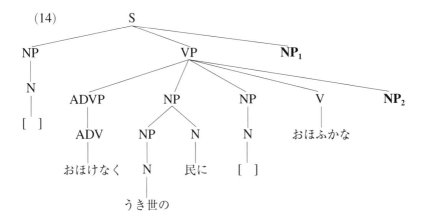

実際にどこにあるか分からない。この 2 番目の問題、つまり、直接目的語の位置は、与えられえた句構造規則からは、正確に描けないものである。

　補足：(13) の「わがたつ杣に」の構造を？としているが、次に来る「墨染」は、「住み始める」と「僧侶がまとう黒色の法衣」を掛けており、一つの範疇では表現できないため、そのようにした。

　この課題から、いくつも重要なことが分かってきます。まず、1 番目の問題、つまり、日本語において主語が明示的に表示されない例があることは、

(11)　句構造規則（日本語）

    a.　S　→　NP VP

を以下のように修正する必要があるかもしれないことを示唆します。

(15)　句構造規則（日本語）

    a.　S　→　(NP) VP

しかし、もし、(NP) の部分を選択しないと、文は、VP だけでもよいということになります。ところが、95 番の例は、その動詞が「覆う」なので、必ず、覆う人がいることを予測します。VP しかないと、覆う人、つまり、「覆う」の主語が、この文にはないことになります。それは、動詞の性質を正しく表現していないことになるので、やはり、(11a) を維持する必要があることになります。では、この問題をどうとらえたらいのでしょうか？　おそらくは、日本語は、すでに前の文脈で明らかになっているものが主語となる場合、音声を伴わなくてもよい、つまり、無音の主語が可能な言語だというです。そういう音声に関する特徴を持った言語であると。

　続いて、2 番目の問題は、さらに多くのことを教えてくれます。目的語が、動詞の右側に現れるという事実は、句構造規則によって導き出すことが適切かどうかという問いが出てきます。仮に、(11c) を (16c) のように修正してみましょう。

(16)　句構造規則（日本語）

    c.　VP　→　$\left\{\begin{matrix} \text{(PP)} \\ \text{(ADVP)} \end{matrix}\right\} \left\{\begin{matrix} \text{(NP)} \\ \text{(PP)} \end{matrix}\right\} \left\{\begin{matrix} \text{(NP)} \\ \text{(S')} \end{matrix}\right\}$ V **(NP)**

この規則が与えられると、日本語は、目的語を、英語と同じように、いつでも動詞の右側においてもよいということになります。ところが、次の例を見ると、そうではないことが分かります。

(17)　一平は、[イチローが翔平をほめたと] 思っている。

(18)　*一平は、[イチローがほめた翔平をと] 思っている。

埋め込み文の中では、目的語を動詞の右に置くことは、まったく不可能です。なぜか主文だけ、それが可能なのです。

　では、目的語が、動詞の右側に現れるという事実を、句構造規則によって導き出すことはいったんやめて、右方向への変換規則で導き出せるかどうか考えてみましょう。目的語の右方向への変換の様子は、すでに (14) に示されています。ただし、その移動先が、いったいどこなのか、その問題は残ったままです。同時に、(18) が示すように、埋め込み文において、目的語が、動詞の右側に現れられないという事実は、変換規則でも、扱いきれません。

　となると、目的語が動詞の右側に現れることができるのは、主文だけだという事実は、句構造規則にとっても、変換規則にとっても、それだけでは、簡単には扱いきれないということが分かってきます。百人一首 95 番は、こんなことまで教えてくれているんですねえ。

170

コラム3　時枝誠記とS

第 14 回で、Chomsky (1986, p. 3) が、文（= S）の中心は、Infl で、S は、実は、Infl の投射 IP であると提案したことを見ました。

(1)

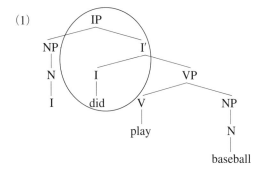

これが提案されたのが 1986 年。実は、このような考えを、Chomsky とは全く別に提案していた人物がいました。日本に。しかも、その 45 年前に。その名は、時枝誠記（1900 年-1967 年）（敬称略）。以下は、時枝 (1941) を最も簡単に言い換えたものです。

時枝 (1941, p. 240) は、次の例を見て、

(2)　彼読まむ
　　　'彼は読むだろう'

この文を区切るとしたら、どこで区切るべきか考えました。（動詞「読む」は、他動詞であるので、目的語が欠落しているのは、少し違和感がありますが、それは、以下の議論では重要ではないので、考慮に入れずにまいりましょう。）他の著名な言語学者の一人橋本進吉（1882 年-1945 年）（敬称略）なら、

(3)　彼　読まむ

と区切るでしょう。橋本進吉は、「文節」を提案したことで有名です。文を句切りながら発音して、それ以上に句切ることができない部分を文節と言います。「... はね」を入れて成立するかどうかで見分けられます。(3) なら、「彼はね」で一区切りできるので、その「彼」が文節となり、また、「読まむ」は、「読まはね」という具合に、途中で区切ることができないので、「読ま

む」全体が文節となります。

　これに対して、時枝は、こう提案しました。(2) は、次のような区分が妥当であると。

　　(4)　　彼読ま　む

初めてこれを聞けば、ちょっと何言ってるか分からないかもしれません。が、時枝は、この文を発している人物が、「彼」に当たる人物が何かを読むという動作を行うことを推測しているというのが、この文の正確な意味であるとし、したがって、「む」という話し手の推量を示す助動詞は、その前にある要素全体にかかるはずであると主張しました。ですから、(4) は、句構造に描いてみれば、まさに、(1) の鏡像になります。

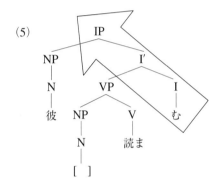

(5)

(5) では、推量の助動詞「む」の投射が、文全体となるということを示しています。この考えでは、過去を表す要素「た」も、その投射が文となります。具体的には、(6) の例では、

　　(6)　　翔平が笑った。

(7) のように、「た」がそれ以外と区別され、

　　(7)　　翔平が笑っ　た。

(8) のような構造になります。

(8)

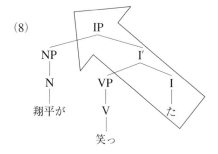

このような議論が示している、私が重要だと思う点は、次の点です。目の前にあるものは、見たままのものが、真実に近い場合もあるが、見たままじゃない、全く見当はずれに見えるようなものが、真実に近い場合もあるかもしれない。少し、理科の世界ですね。

参考文献

Abney, Steven, Paul (1987) *The English Noun Phrases in Its Sentential Aspect*, Doctoral dissertation, MIT.

Chomsky, Noam (1957) *Syntactic Structures*, Mouton, The Hague.

Chomsky, Noam (1986) *Barriers*, MIT Press, Cambridge, MA.

Chomsky, Noam (1995) *The Minimalist Program*, MIT Press, Cambridge, MA.

Chomsky, Noam (2013) "Problems of Projection," *Lingua*, 130, 33-49.

Fukui, Naoki (1986) *A Theory of Category Projection and Its Applications*, Doctoral dissertation, MIT.

Fukui, Naoki (1988) "Deriving the Differences Between English and Japanese: A Case Study in Parametric Syntax," *English Linguistics* 5, 249-270.

Fukui, Naoki and Margaret J. Speas (1986) "Specifiers and Projection," *MIT Working Papers in Linguistics 8: Papers in Theoretical Linguistics*, 128-172, MIT, Cambridge, MA.

Kayne, Richard (1994) *The Antisymmetry of Syntax*, MIT Press, Cambridge, MA.

Kuno, Susumu (1973) *The Structure of the Japanese Language,* MIT Press, Cambridge, MA.

Larson, Richard (1988) "On the Double Object Construction," *Linguistic Inquiry* 19, 335–391.

Larson, Richard (1990) "Double Objects Revisited: Reply to Jackendoff," *Linguistic Inquiry* 21, 589–632.

牧秀樹 (2019)『誰でも言語学』開拓社, 東京.

牧秀樹 (2023)『10 分でわかる！ ことばの仕組み』Kindle Direct Publishing.

Murasugi, Keiko (1991) *Noun Phrases in Japanese and English: A Study in Syntax, Learnability and Acquisition*, Doctoral dissertation, University of Connecticut.

Stowell, Tim (1981) *Origins of Phrase Structure*, Doctoral dissertation, MIT.

Tomlin, Russell S. (1986) *Basic Word Order: Functional Principles*, Croom

Helm, London.

Tonoike, Shigeo (1992) "Operator Movements in Japanese," *Meiji Gakuin Review* 507, 79-142, Meiji Gakuin University, Tokyo.

Tsujimura, Natsuko (1996) *An Introduction to Japanese Linguistics*, Blackwell, Cambridge, MA.

Tsujimura, Natsuko (2013) *An Introduction to Japanese Linguistics*, 3rd ed., Wiley-Blackwell, Boston, MA.

索　引

牧　秀樹 （まき　ひでき）

　岐阜大学地域科学部シニア教授。1995 年にコネチカット大学にて博士号（言語学）を取得。研究対象は、言語学と英語教育。

　主な著書：*Essays on Irish Syntax*（共著、2011 年）、*Essays on Mongolian Syntax*（共著、2015 年）、*Essays on Irish Syntax II*（共著、2017 年）、『The Minimal English Test（最小英語テスト）研究』（2018 年）、『誰でも言語学』、『最小英語テスト（MET）ドリル』〈標準レベル：高校生から社会人〉、〈センター試験レベル〉、『中学生版 最小英語テスト（jMET）ドリル』（以上、2019 年）、「英語 monogrammar シリーズ」『関係詞』『比較』『準動詞』『助動詞・仮定法』『時制・相』『動詞』（監修、以上、2020-2021 年）、『金言版最小英語テスト（kMET）ドリル』（2020 年）、『これでも言語学—中国の中の「日本語」』、*Essays on Case*（以上、2021 年）、『それでも言語学—ヒトの言葉の意外な約束』、『最小日本語テスト（MJT）ドリル』、『最小中国語テスト（MCT）ドリル』、『最小韓国語テスト（MKT）ドリル』（以上、2022 年）、『MCT中国語実践会話—学びなおしとステップアップ　上海出張・日本紹介』（共著、2023年）、『象の鼻から言語学—主語・目的語カメレオン説』（2023 年）、『小学生版最小英語テスト（eMET）ドリル』（共著、2023 年）［以上、開拓社］など。

みんなの言語学入門
─日本語と英語の仕組みから未知の言語へ─

© 2023 Hideki Maki
ISBN978-4-7589-2395-8　C0080

著作者	牧　秀樹	
発行者	武村哲司	
印刷所	日之出印刷株式会社	

2023 年 11 月 20 日　第 1 版第 1 刷発行

発行所　　株式会社　開拓社

〒 112-0013 東京都文京区音羽 1-22-16
電話　（03）5395-7101（代表）
振替　00160-8-39587
http://www.kaitakusha.co.jp

JCOPY ＜出版者著作権管理機構 委託出版物＞

本書の無断複製は、著作権法上での例外を除き禁じられています。複製される場合は、そのつど事前に、出版者著作権管理機構（電話 03-5244-5088、FAX 03-5244-5089、e-mail: info@jcopy.or.jp）の許諾を得てください。